T5-AGM-209

PARCOURS DE LECTURE

Collection dirigée par Alain Boissinot

L'ÉDUCATION
SENTIMENTALE
Gustave Flaubert

par *Jeanne-Antide Huynh*

BERTRAND-LACOSTE
36 rue Saint-Germain-l'Auxerrois - 75001 Paris

SOMMAIRE

Avant-propos 04

Première partie
UNE PASSION INDÉCISE

I. À l'origine du récit 08
   Le titre 08
   Le début du roman 16

II. La narration indécise 18
   Aimer/réussir : une histoire traditionnelle 18
   La quête amoureuse :
   résolutions et incertitudes 22
   Foisonnement et concurrence des projets de vie ... 26

III. L'Histoire sans fin 33
   L'amour impossible, la réussite inaboutie 33
   Le retour du passé 34
   Ébauche de significations 36

Deuxième partie
LES PERSONNAGES ET L'UNIVERS ROMANESQUE

I. Frédéric et Deslauriers 40
   Frédéric : le personnage principal 40
   Frédéric et Deslauriers 42

II. Constellations de personnages 49
   Une constellation exemplaire :
   quatre jeunes gens 49
   Une constellation féminine 52

III. Personnages et société 57

    Vie amoureuse et sociologie 57

    Personnages et vie sociale 60

Troisième partie

L'HISTOIRE DANS « L'ÉDUCATION SENTIMENTALE »

I. Un nouveau roman historique 66

    Le romancier-historien 66

    L'inscription de l'Histoire dans la fiction 72

    Histoire événementielle et structure du roman 78

II. Fiction et réalité historique 80

    Correspondances entre fiction et Histoire 80

    Personnages et types 82

III. Visions de l'Histoire et idéologie 89

    Parallélismes et inversions symboliques 89

    Qui voit ? 91

    Quelles voix ? 93

Conclusion 101

Documents complémentaires

    Gros plan sur la révolution de 1848 104

    Un éclairage socio-historique 109

    Les écrivains et la révolution de 1848 112

Les références au texte de *L'Éducation sentimentale* renvoient à la collection Folio des éditions Gallimard.

© BERTRAND-LACOSTE, Paris, 1991.

Avant-propos

Ce qui me semble beau, ce que je
voudrais faire, c'est un livre sur rien.
Gustave FLAUBERT
Lettre à Louise Colet, 16 janvier 1852.

L'Éducation sentimentale de Gustave Flaubert est un *grand* roman, un *classique* de la littérature française. Œuvre du passé, œuvre au programme, un tel livre peut sembler n'avoir plus rien à dire aux lecteurs jeunes et ne signifier que l'ennui. Et l'existence d'études critiques fort nombreuses pourrait dissuader d'en proposer une lecture supplémentaire...

Pourtant ce parcours souhaite apporter une motivation et une aide à la lecture de *L'Éducation sentimentale* en s'inscrivant dans une perspective scolaire. Ce qui signifie, ici, *partir du texte*, de sa spécificité et non de généralisations attendues et réductrices sur l'œuvre et l'écrivain, que le texte viendrait *illustrer* ; ce qui nécessite de privilégier une lecture active, méthodique, fondée sur l'appropriation personnelle et autonome du texte, au moyen d'*outils* d'analyse littéraire opératoires et de *démarches* exploratoires du sens ; ce qui présuppose également que le plaisir du texte peut naître aussi d'une compréhension en profondeur de son fonctionnement.

Par tradition dans le milieu scolaire, on range Flaubert dans la catégorie des écrivains réalistes, enfermés le plus souvent dans quelques grands principes d'écriture : observation scrupuleuse du réel, primauté des *faits vrais*, souci du détail exact... Or, si l'observation du réel et la documentation minutieuse ont compté pour Flaubert, elles ne sont pas une fin en soi. Il a au contraire affirmé l'importance capitale de la forme :

« Ce qui me semble beau, ce que je voudrais faire, c'est un livre sur rien, un livre sans attache extérieure, qui se tiendrait de lui-même par la force interne de son style [...] un livre qui n'aurait presque pas de sujet ou du moins où le sujet serait

presque invisible, si cela se peut. [...] il n'y a ni beaux, ni vilains sujets et [...] on pourra presque établir comme axiome, en se posant au point de vue de l'art pur, qu'il n'y en a aucun, *le style étant à lui tout seul une manière absolue de voir les choses.* »
Lettre à Louise Colet, 16 janvier 1852.

Le *style*, terme clé de la volonté de perfection formelle de Flaubert, désigne le travail de l'écriture mais aussi le travail de composition de l'œuvre et même dans un sens plus large une vision du monde particulière à l'écrivain.

Nous montrerons, en partant systématiquement du texte, comment cette esthétique romanesque fondée sur la primauté de la forme se manifeste dans *L'Éducation sentimentale*.

L'Éducation sentimentale, c'est l'histoire d'une grande passion amoureuse, c'est aussi l'aventure d'une génération qui a 25 ans en 1848 quand la révolution éclate... roman d'amour, fresque sociale, roman historique.

Mais ce qui importe c'est que la composition du roman reflète cette passion, que les personnages sont organisés de manière à créer l'illusion de la société réelle de cette époque, que la fiction intègre l'Histoire, la recrée, après l'avoir assimilée dans ses détails les plus exacts.

La *forme* est *sens*, la restitution littéraire du réel donne l'illusion de la réalité, le roman reproduit le désenchantement de toute une génération. Cette préoccupation centrale de la forme fait sans doute la modernité littéraire du roman.

Il est utile de situer brièvement le roman dans l'œuvre de Flaubert, notamment sous l'angle du rapport entre l'homme et l'œuvre, ici particulièrement significatif. En effet, le roman *L'Éducation sentimentale* est en quelque sorte l'aboutissement de plusieurs écrits, *brouillons* ou ébauches de l'œuvre définitive qui tentent tous de dire une expérience fondamentale dans la vie de l'auteur : la passion qu'il éprouva pour Élisa Schlésinger qu'il rencontra sur la plage de Trouville durant l'été 1836.

Passion impossible d'un adolescent de 15 ans pour une femme mariée beaucoup plus âgée que lui, mais passion qui trouva un exutoire dans l'écriture en plusieurs étapes :

- *Les Mémoires d'un fou* (1838, publié en 1900) ; récit autobiographique, transposition de la rencontre amoureuse de Flaubert avec Élisa (Maria, dans le récit).

- *Novembre* (1842, publié en 1910) ; récit d'une aventure avec une prostituée (Marie), autobiographie et fiction mêlées.

- La première *Éducation sentimentale* (commencée en 1843, achevée en 1845, publiée partiellement en 1910) ; roman centré sur deux héros : Henry et Jules, nés dans la même ville de Province. Henry va à Paris pour faire son droit. Il tombe amoureux de l'épouse du propriétaire de la pension, Émilie Renaud. Elle devient sa maîtresse et ils s'enfuient en Amérique. Ayant perdu toutes ses illusions sur l'amour, il revient en France où il fera carrière. Jules reste dans sa province, employé à la douane. Un jour, une troupe de comédiens lui propose de représenter son drame historique ; l'actrice est la femme dont il a toujours rêvé... Mais il découvre qu'elle est la maîtresse du directeur de théâtre. Blessé jusqu'au désespoir, il apprend à renoncer à l'amour, à n'attendre plus rien de la vie et consacre toute son énergie au travail artistique, en espérant créer un jour l'œuvre idéale.

- Enfin *L'Éducation sentimentale* (commencée le 1er septembre 1864, achevée et publiée en novembre 1869).

Première partie

UNE PASSION INDÉCISE

I. À L'ORIGINE DU RÉCIT

❑ Le titre

Où commence vraiment la lecture active d'un roman ? Quand sont prélevés les premiers indices qui vont permettre de construire des lectures signifiantes de l'œuvre ?

Dès le titre, dès la première phrase, la première page, le sens s'élabore et il est intéressant d'explorer de manière systématique ces débuts afin de voir ce qu'ils révèlent de l'œuvre à venir.

Nous nous attacherons d'abord principalement au titre.

Outre sa fonction première d'identification, de désignation de l'œuvre, le titre renseigne sur le contenu ; ce faisant, il permet que se mette en place immédiatement un « horizon d'attente » c'est-à-dire que soient mobilisés mentalement par le lecteur un certain nombre d'éléments prévisibles que le roman devrait actualiser et que le lecteur escompte rencontrer au cours de sa lecture ; la lecture est de ce fait orientée, facilitée aussi puisque sont convoqués des contenus et des schémas narratifs préexistants (quête du héros, dénouement... par exemple). Le degré de prévisibilité est plus ou moins grand selon la nature de l'œuvre mais toute lecture s'inscrit dans le cadre de cette attente et de ces hypothèses sur le récit, attente qui peut être satisfaite ou déçue, hypothèses qui peuvent être vérifiées ou invalidées.

• L'initiation amoureuse : un titre-programme

L'Éducation sentimentale est un titre assez explicite qui pose comme sujet du roman l'*apprentissage* des sentiments, l'initiation à l'amour d'une personne que l'on suppose encore naïve par d'autres plus expertes. On peut formuler des hypothèses sur le personnage, son âge, son sexe, ses origines.

On peut imaginer différents scénarios d'initiation amoureuse, se demander si les sens potentiels du titre varient selon que l'on considère l'époque de parution du roman ou la nôtre, le lecteur du XIXᵉ ou celui d'aujourd'hui. On peut considérer que l'adjectif prend ici une valeur restrictive...

L'*Éducation sentimentale* a un sous-titre : *Histoire d'un jeune homme*, qui apporte des informations plus précises (jeunesse, héros masculin...), annule certaines hypothèses et invite à élargir la notion d'apprentissage au domaine politique et social.

Repères

LE TITRE

1. Définition

Cherchez et comparez celles données par différents dictionnaires.

2. Fonctions

Léo H. Hoek dans *La Marque du titre* (Mouton Éditeur, La Haye 1981) distingue trois fonctions du titre :

- désignation/identification ;
- indication du contenu ;
- séduction du public visé.

La fonction de désignation est la seule obligatoire ; la relation entre un titre et son contenu est variable et dépend étroitement des compétences linguistiques et culturelles du lecteur et de sa volonté critique.

Une quatrième fonction du titre est distinguée par G. Genette (*Seuils*, éditions du Seuil, Paris 1987).

Empruntant la terminologie de Jakobson, il la nomme « valeur conative », ce qui revient à dire qu'il y a orientation du message vers le destinataire. Le titre s'adresse à un certain type de lecteur, il inclut et indique son destinataire, celui qui peut recevoir et décrypter le message plus ou moins codé que le titre contient. Le titre, dans ce cas, instaure avec le lecteur des signes de reconnaissance et une complicité.

Prolongements

• Entrée dans le monde et apprentissage : un titre générique

Le titre présente aussi le roman en référence explicite à des genres romanesques connus : le roman d'éducation et le roman sentimental. L'emploi de l'article défini tend même à présenter cet apprentissage sentimental comme le modèle du genre.

Le roman sentimental est caractérisé par une histoire d'amour, le plus souvent une quête amoureuse jalonnée d'obstacles. L'adjectif *sentimental* peut aussi être associé à *romantique*.

La mise en relation possible avec le roman d'éducation crée chez le lecteur averti l'attente d'un *parcours initiatique* et de *passages obligés* ou encore de stéréotypes liés à l'entrée dans le monde d'un jeune homme. Sont évoqués aussi immédiatement les héros romanesques du XIXᵉ siècle, Julien Sorel, Rastignac... dont l'entrée dans le monde et l'ascension sociale sont la matière de romans célèbres.

Le titre situe donc d'emblée le roman dans la lignée d'une tradition, dans un champ contextuel qui le détermine ; ainsi le lecteur attend que l'œuvre respecte ou transgresse les codes du genre auquel elle se rattache. Toute une dimension de *L'Éducation sentimentale* peut s'expliquer par l'intertextualité, c'est-à-dire les rapports qu'un texte entretient avec d'autres textes qu'il contient, prolonge, commente, conteste...

• Un lieu commun romanesque

Il ne s'agit pas d'assimiler totalement le roman réaliste du XIXᵉ siècle (qui développe des marques spécifiques) au roman de formation, mais on constate que l'éducation du héros est au centre d'un grand nombre de romans de cette époque (c'est un lieu commun, un « topos »). À travers des réalisations différentes, ils décrivent des itinéraires, des parcours dont on peut dégager des constantes, des passages obligés :

- le héros sort de l'adolescence ;
- il a ou se découvre une vocation qu'il veut réaliser ;
- il rompt avec son existence antérieure (cellule familiale) ;
- il veut entrer dans le monde pour se réaliser, faire carrière, réussir socialement ;
- cette rupture avec le passé suppose le plus souvent un déplacement, un voyage (géographique mais parfois intérieur) qui a valeur initiatique ;
- il fait de nombreuses rencontres (maîtres, amour) qui l'enrichissent, le forment ;
- il retourne souvent au lieu de départ pour mesurer le chemin parcouru.

Dans le commentaire explicatif, nous ferons souvent référence à ces constantes qui finissent par constituer des stéréotypes.

Elles sont clairement repérables dans de grands romans du XIXᵉ siècle qui constituent l'environnement textuel contemporain de *L'Éducation sentimentale*.

Les tableaux des p. 14 et 15 permettent de faire apparaître les relations qui existent entre ces différentes œuvres et qui en constituent le tissu.

LE ROMAN D'ÉDUCATION

Ce genre romanesque se développe au XVIIIe siècle. Il est étroitement lié à l'importance accordée à la connaissance et donc à l'apprentissage et à la foi dans le progrès de l'humanité (valeurs fondamentales du siècle des lumières).

Ce type de récit est caractérisé par la rencontre d'un personnage principal – homme ou femme – avec le monde, la société, des situations qui vont le « former », le construire, le faire évoluer. Dans le même temps, le personnage, grâce aux expériences qu'il vit, va s'efforcer d'harmoniser son être, sa conception du monde, avec la marche de la société. À la fin du roman d'éducation, le personnage mûri a trouvé sa juste place dans l'ordre du monde ou la société de son temps, l'objectif à atteindre étant l'accord parfait entre accomplissement personnel et réalisation du bien commun. Cet accord est le plus souvent obtenu non en défiant la société mais en surmontant les défauts de l'appareil social. L'accent est mis sur le devenir et sur le vrai, le vécu (par opposition au roman picaresque ou au roman à intrigue centrés sur l'affabulation).

En France, les romans de Marivaux et de Diderot, en Angleterre, ceux de Fielding, Richardson et Sterne portent les prémices du roman d'apprentissage. Désigné par Bildungsroman, le roman de formation se développe beaucoup en Allemagne au XVIIIe siècle et le *Wilhelm Meister* de Goethe (Les Années d'apprentissage, 1796 ; *Les Années de voyage*, 1821) demeure le modèle du genre.

Au XIXe siècle, le roman (genre qui devient majeur) s'établit sur les vestiges du roman de formation. Tout en développant des traits spécifiques (ceux du réalisme essentiellement), il actualise souvent les principales composantes du roman de formation, tenant compte des transformations intervenues ou en cours dans les rapports entre l'individu et la société.

Œuvres les plus représentatives du genre au XXe siècle :

- œuvres marquées par l'époque et l'évolution romanesque mais fidèles au genre :

Jean-Christophe de Romain Rolland (1904-1912) : le destin du héros est en accord avec celui du monde grâce à la médiation de l'art.

La Nausée de Jean-Paul Sartre (1938) : le héros apprend à construire sa vie à travers l'échec et l'absurde et à rester un homme social.

- œuvres où l'éducation est centrale ou présente sous différentes formes mais marquée du sceau de l'échec (ce qui était inconcevable au XVIIIe siècle) :

Les Thibault de Roger Martin du Gard (1922-1942) : l'histoire brise la formation du héros ou rend son issue incertaine (réussite ou échec), comme dans *La Montagne magique* (1924) de Thomas Mann.

L'Homme sans qualités de Robert von Musil (1930-1943) : l'individu se forme contre la société et non avec elle.

Voyage au bout de la nuit de Louis-Ferdinand Céline (1932) : le héros fait son éducation malgré lui, par la force des choses et des événements.

ROMANS D'ÉDUCATION
L'INTERTEXTE DE « L'ÉDUCATION SENTIMENTALE »
Le Rouge et le Noir/Le Père Goriot

	Roman d'éducation ou roman d'apprentissage	*Le Rouge et le Noir* (1830) Stendhal	*Le Père Goriot* (1835) Balzac
	Le héros	Julien Sorel	Eugène de Rastignac
	Origine familiale et sociale	Père : charpentier Plébéien	Noblesse terrienne presque ruinée. Père : baron
Itinéraire spatial	Origine géographique	Province - Verrières (chez son père)	Manoir en Charente (Rastignac)
Itinéraire spatial	Déplacement vers le(s) lieu(x) de la réussite	Verrières (chez des notables) Besançon Paris (Besançon)	Paris
	Initiateurs/Initiatrices (amour - vie sociale)	Mme de Rénal Mathilde de La Mole Curé Chelan Abbé Pirard Le marquis de La Mole	Mme de Beauséant (cousine riche) Mme de Nucingen Vautrin (le forçat J. Colin)
Itinéraire social	Principales étapes de l'ascension sociale	Précepteur (chez M. et Mme de Rénal) Séminariste Secrétaire particulier du marquis de La Mole Fiancé puis futur mari de Mathilde de La Mole Lieutenant	Bachelier ès Lettres Étudiant en droit
	Moyens mis en œuvre pour réussir	Femmes Séminaire + forces politico-sociales de la Restauration Ambition - Révolte Hypocrisie tactique	Appui familial et relations Femmes Ambition - Énergie et pragmatisme
	Bilan du chemin parcouru (réussite ou échec)	Échec social Réussite personnelle	Termine son apprentissage Défi à la société [1]

1. Il apparaît dans d'autres romans comme dandy puis fait une brillante carrière : sous-secrétaire d'État puis ministre de l'Intérieur. *(La Maison Nucingen, Splendeurs et Misères des courtisanes.)*

ROMANS D'ÉDUCATION
L'INTERTEXTE DE « L'ÉDUCATION SENTIMENTALE »
Les Illusions perdues/Bel-Ami

	Les Illusions perdues (1844)	*Bel-Ami* (1885)
Roman d'éducation ou roman d'apprentissage	Balzac	Maupassant
Le héros	Lucien Chardon ◊ Lucien de Rubempré	Georges Duroy dit Bel-Ami ◊ Du Roy de Cant [1]
Origine familiale et sociale	Père : décédé (chirurgien armée Pharmacien - chercheur) Mère : née Rubempré	Parents : cabaretiers
Origine géographique	Angoulême	Canteleu (Normandie)
Déplacement vers le(s) lieu(x) de la réussite	Paris (Angoulême)	Paris
Initiateurs / Initiatrices (amour - vie sociale)	Mme de Bargeton Le Cénacle Daniel d'Arthez Lousteau Abbé Carlos Herrera (Forçat - Vautrin)	Madeleine Forestier (Forestier) Mme de Marelle (Walter)
Principales étapes de l'ascension sociale	Poète Journaliste mondain	Reporter (La Vie Française) Rédacteur politique Rédacteur en chef Mariage avec Suzanne Walter (fille du directeur du journal)
Moyens mis en œuvre pour réussir	Compromission voire corruption Asservissement aux désirs d'argent et de succès	Femmes Scandales politico-financiers Ambition - Cynisme - Ruse
Bilan du chemin parcouru (réussite ou échec)	Succès (vie mondaine - fortune) puis déchéance [2]	Réussite sociale et sentimentale

Itinéraire spatial (rows: Origine géographique, Déplacement)

Itinéraire social (rows: Initiateurs/Initiatrices, Principales étapes)

---

1. Le héros a été qualifié de « Rastignac de la deuxième génération ».
2. Arrestation et suicide dans *Splendeurs et Misères des courtisanes*.

Prolongements

L'intertextualité

1. **Appliquez la grille de lecture proposée dans les pages précédentes à** L'Éducation sentimentale. **Complétez le tableau.**

2. **Lisez l'un des romans suivants et recherchez les points de passages obligés du roman d'apprentissage :** Dominique *(1863)* de Fromentin, Adolphe *(1816)* de Benjamin Constant, Lamiel *(publication posthume)* de Stendhal *(héroïne féminine).*

3. **Analysez méthodiquement l'éducation sentimentale du héros du** Diable au Corps *de Raymond Radiguet (1923).*

❏ Le début du roman

Les hypothèses de contenu formulées à partir du titre sont vérifiées dès les deux premiers chapitres. Ils se présentent comme une matrice portant en germe l'origine du roman, les éléments de son développement.

Dans le premier chapitre de la première partie, un jeune homme de 18 ans, Frédéric, rencontre, sur le bateau qui le ramène chez sa mère à Nogent-sur-Seine, une femme mariée dont il tombe éperdument amoureux, Mme Arnoux :

> Ce fut comme une apparition [...] L'univers venait tout à coup de s'élargir. Elle était le point lumineux où l'ensemble des choses convergeait.

C'est la naissance d'une grande passion et donc le début d'une histoire d'amour et d'une initiation que la jeunesse du héros et l'état de femme mariée de l'héroïne laissent supposer.

Dans le deuxième chapitre, Frédéric Moreau, « nouvellement reçu bachelier », sur le point d'« aller faire son droit » à Paris, évoque avec Deslauriers, son ami d'enfance, leurs rêves et projets d'avenir, leur vie d'étudiant. Deslauriers, plus réaliste que Frédéric, insiste sur la nécessité de se faire introduire dans le monde, d'avoir des appuis pour pouvoir arriver :

> — Tu devrais prier ce vieux de t'introduire chez les Dambreuse ; rien n'est utile comme de fréquenter une maison riche ! [...] Il faut que tu ailles dans ce monde-là ! [...] Un homme à millions, pense donc ! Arrange-toi pour lui plaire et à sa femme aussi. Deviens son amant !
> Frédéric se récriait :
> — Mais je te dis là des choses classiques, il me semble ? Rappelle-toi Rastignac dans la Comédie humaine ! Tu réussiras, j'en suis sûr ! (p. 35)

La référence explicite au modèle balzacien et à Rastignac, héros exemplaire de la réussite sociale, ouvre au héros — et au lecteur — les perspectives d'un avenir tout tracé, en dépit des difficultés. La mère du héros, Mme Moreau, trace elle aussi pour son fils le parcours de l'ambition ; ses vœux ne sont pas sans rappeler la carrière de Rastignac : « conseiller d'État, ambassadeur, ministre ».

Ainsi, à l'issue des deux premiers chapitres de la première partie du roman deux *quêtes* peuvent commencer et donc deux programmes narratifs sont mis en place :

- la quête amoureuse :

> Il était bien résolu à s'introduire, n'importe comment, chez les Arnoux, et à se lier avec eux. [...] Arnoux lui plaisait d'ailleurs ; puis, qui sait ? Alors, un flot de sang lui monta au visage. (p. 27-28)

- la conquête du pouvoir :

> Tu réussiras, j'en suis sûr !
> Frédéric avait tant de confiance en Deslauriers, qu'il se sentit ébranlé [...]
> Le clerc ajouta :
> — Dernier conseil : passe tes examens ! Un titre est toujours bon [...] (p. 35)

II. LA NARRATION INDÉCISE

☐ Aimer/réussir : une histoire traditionnelle

À première vue, le roman présente une histoire et une structure que l'on peut qualifier de traditionnelles, au sens où elles obéissent aux règles d'organisation profonde des récits. En particulier, les deux ensembles limites (ensemble initial et ensemble final) se répondent dans une symétrie aisément repérable.

┤Repères├

MODÈLE NARRATIF

Le récit traditionnel consiste en une succession d'événements qui se déroulent entre les deux bornes que sont le début et la fin du récit :

> Dans chaque processus d'élaboration de l'information, on peut dégager un certain ensemble A de signaux initiaux et un certain ensemble B de signaux finaux observés. La tâche d'une description scientifique, c'est d'expliquer comment s'effectue le passage de A à B et quelles sont les liaisons entre ces deux ensembles (si les chaînons intermédiaires sont trop complexes et échappent à l'observation, en cybernétique, on parle de «boîte noire»). Face au roman comme système «marchant» d'informations, la formulation de Rezvin peut inspirer une première démarche : établir d'abord les deux ensembles limites, initial et terminal, puis explorer par quelles voies, à travers quelles transformations, quelles mobilisations, le second rejoint le premier ou s'en différencie : il faut en somme définir le passage d'un équilibre à un autre, traverser la « boîte noire ».
>
> Roland BARTHES, *Nouveaux Essais critiques*.

Le récit déclenché par un événement générateur d'une dynamique tend vers un aboutissement, une résolution.

> L'intrigue minimale complète consiste dans le passage d'un équilibre à un autre. Un récit idéal commence par une situation stable qu'une force quelconque vient perturber. Il en résulte un état de déséquilibre ; par l'action d'une force dirigée en sens inverse, l'équilibre est rétabli ; le second équilibre est semblable au premier, mais les deux ne sont jamais identiques.
>
> Tzvetan TODOROV, *Qu'est-ce que le structuralisme ?*

On peut schématiser de la manière suivante cette organisation profonde du texte (il s'agit bien de la structure profonde car les réalisations de surface de l'œuvre peuvent être très variables et masquer cette structure profonde ; rien n'interdit par exemple de commencer un récit par ce qui sera l'état final de l'action et de revenir ensuite en arrière, ou de ne pas respecter l'ordre des transformations). On obtient ainsi un « modèle quinaire » qui fait apparaître cinq étapes :

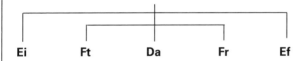

Ei   **Ft**   **Da**   **Fr**   **Ef**

Ei : État initial
Ef : État final
Ft : Force transformatrice
Fr : Force résolutive
Da : Dynamique de l'action

Schéma narratif : modèle quinaire appliqué à « L'Éducation sentimentale »

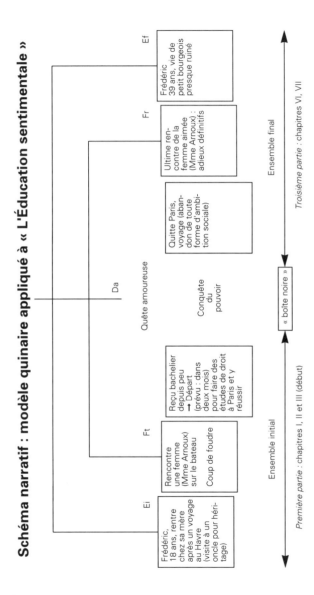

Ei
Frédéric, 18 ans, rentre chez sa mère après un voyage au Havre (visite à un oncle pour héritage)

Ft
Rencontre une femme (Mme Arnoux) sur le bateau
Coup de foudre

Reçu bachelier depuis peu
→ Départ (prévu : dans deux mois) pour faire des études de droit à Paris et y réussir

Da
Quête amoureuse

Conquête du pouvoir

Quitte Paris, voyage (abandon de toute forme d'ambition sociale)

Fr
Ultime rencontre de la femme aimée (Mme Arnoux) : adieux définitifs

Ef
Frédéric 39 ans, vie de petit bourgeois presque ruiné

Ensemble initial

« boîte noire »

Ensemble final

Première partie : chapitres I, II et III (début)

Troisième partie : chapitres VI, VII

Ce schéma appelle quelques commentaires.

Ensemble initial : un événement survient, le coup de foudre pour une femme rencontrée par hasard (Ft) qui va modifier l'état, la situation du jeune homme (Ei) : il a dix-huit ans, il vient juste d'être reçu bachelier, il rentre dans sa famille après avoir rendu visite à un oncle dont il espère hériter.

Cet événement inattendu éclipse momentanément un autre événement, prévu celui-là, indiqué dès les premières lignes du roman et qui doit lui aussi transformer la situation du jeune homme : son départ pour Paris, dans « deux mois », après les vacances, pour y faire des études de droit et réaliser ses projets d'avenir.

Ces deux événements vont motiver le récit. Revoir Mme Arnoux, réussir socialement sont deux désirs (ou deux « manques ») qu'une série d'actions (Da) va tenter de combler, deux objectifs qu'une dynamique va tenter d'atteindre.

Ensemble final : ce qui est mis en place dans l'ensemble initial trouve, grâce à un événement-réponse aux manques initialement posés (Fr) une forme de conclusion, d'aboutissement dans l'ensemble final (Ef) : Frédéric a fui Paris, la ville qui incarnait la réussite sociale et la rendait possible, pour voyager, puis a renoncé à toute ambition. La femme qu'il a passionnément aimée lui fait des adieux définitifs (3e partie, chap. VI). Ainsi le récit peut s'achever, un nouvel état est atteint : Frédéric a vieilli ; « ayant mangé les deux tiers de sa fortune, il vivait en petit bourgeois » (3e partie, chap. VII).

Les correspondances entre les deux premiers chapitres de la première partie et les deux derniers chapitres de la dernière partie apparaissent clairement (âge, situation sociale et argent, amour).

On constate que l'état initial ne se borne pas au premier chapitre et qu'il est largement présenté dans le chapitre deux ; de même, l'état final est déjà évoqué au début du chapitre VI de la dernière partie.

On observe d'autres parallélismes dans les ensembles initial et final : par exemple, les retrouvailles et la conversation entre Frédéric et Deslauriers (1re partie chap. II et 3e partie, chap. VII) ; on notera aussi, dans les deux cas, le raccourci dans le traitement des forces transformatrices et résolutives :

> Deux mois plus tard, Frédéric, débarqué un matin rue Coq-Héron [...] (p. 36). Il voyagea. Il connut la mélancolie des paquebots (p. 450).

Prolongements

♦ **Faites une étude comparative précise des deux passages de la rencontre (« Ce fut comme une apparition ») et des adieux (« Et ce fut tout ») entre Frédéric et Mme Arnoux.**

On peut envisager, par exemple, les différents points de comparaison suivants : lieux, temps et époque, personnages et sentiments ; rôle d'ouverture et de clôture du récit ; écriture : récurrences lexicales, stylistiques...

❑ La quête amoureuse : résolutions et incertitudes

La structure générale de l'œuvre est conforme au modèle classique et attendu ; toutefois des particularités assez évidentes se manifestent dès que l'on se livre à une observation plus précise. Ces particularités expliquent sans doute aussi les impressions communément ressenties à la lecture : ennui, monotonie, absence d'action, de progression en même temps que multiplication des événements, difficultés à appréhender l'ensemble...

Les lecteurs contemporains de Flaubert ont d'ailleurs été sensibles au caractère singulier de l'œuvre qui ne correspondait pas à leur *horizon d'attente*.

Les traitements des deux programmes narratifs (quête amoureuse et conquête du pouvoir) dégagés précédemment concourent à créer cette impression d'un *gel* de l'action dans le roman. Nous allons voir que l'organisation de la matière romanesque atteste le blocage du développement narratif, la difficulté de l'action à démarrer vraiment puis à se dérouler et même à trouver naturellement sa fin. (L'expression *boîte noire* employée par Barthes pour qualifier le processus de transformation prend ici tout son sens.)

La première partie du roman montre que, à plusieurs reprises, la dynamique narrative est suspendue ou en attente.

• Quête amoureuse différée

Après un coup de foudre qui marque profondément le jeune homme, ébranle son imagination, bouleverse son univers affectif, le lecteur constate que l'oubli s'installe. Frédéric, bien qu'enthousiaste à la suite de la rencontre de Mme Arnoux, ne tente aucune démarche pour la revoir. Certes, ce n'est qu'après les vacances, donc deux mois plus tard, que Frédéric doit aller à Paris pour commencer des études de droit ; et que la quête soit différée pourrait s'expliquer par le parti pris réaliste de l'auteur de respecter l'écoulement des vacances. Mais quand Frédéric arrive à Paris à l'automne et qu'il « songe immédiatement à faire sa grande visite », ce n'est pas à Mme Arnoux mais aux Dambreuse ! Le lecteur est déjoué dans ses attentes, Frédéric semble avoir complètement oublié Mme Arnoux. Or quels élans passionnés n'avait-elle pas suscités, quelle urgence aussi de la revoir ! Et finalement, elle ressurgit dans le souvenir de Frédéric *par hasard* quand passant rue Montmartre, il voit le magasin d'Arnoux et son nom sur une plaque !

Comment expliquer une telle amnésie alors que cette femme est d'emblée présentée comme l'unique passion de sa vie ? Le héros se pose lui-même la question (ironie du narrateur ou impuissance à expliquer ?) : « Comment n'avait-il pas songé à elle plus tôt ? »

• Quête désamorcée

Le programme amoureux est donc réactivé au moment où Frédéric retrouve le magasin d'Arnoux.

Le programme de la réussite sociale est, lui, mis en œuvre au tout début du troisème chapitre de la première partie par la visite à M. Dambreuse qualifiée de « grande ». Là aussi « le hasard l'avait servi ».

Or à la fin de ce même chapitre les deux lignes dynamiques du récit perdent leur vitalité, leur motivation : « L'espoir d'une invitation chez les Dambreuse l'avait quitté ; sa grande passion pour Mme Arnoux commençait à s'éteindre ». L'histoire stagne, n'est plus alimentée, le héros est passif, le récit pourrait s'arrêter là.

• Quête relancée - nouvel échec

Au chapitre IV de la première partie, la dynamique de l'action est relancée. Toujours *par hasard* Frédéric fait la connaissance d'Hussonnet au cours d'une manifestation d'étudiants à Paris. Ce dernier connaît Arnoux et introduit Frédéric. Celui-ci est alors invité puis fréquente régulièrement Arnoux et sa femme (dîners du jeudi). Il connaît de grands moments d'exaltation et envisage d'obtenir de Mme Arnoux des signes de son amour pour lui. Le récit redémarre (quête amoureuse).

De même, le projet de réussite sociale réapparaît au chapitre V de la première partie avec l'invitation tant attendue des Dambreuse.

Les deux programmes sont alors réactivés. Mais au chapitre VI, Frédéric apprend qu'il est ruiné, s'installe à Nogent et le déroulement du récit est de nouveau sérieusement compromis : l'action s'essoufle, le récit s'enlise, le héros renonce. Frédéric refuse de se rendre chez les Dambreuse — qui sont proches de Nogent dans leur résidence de campagne — comme le père Roque l'y invite. Son ambition et son amour meurent peu à peu.

> Il s'accoutumait à la province, s'y enfonçait ; — et même son amour avait pris comme une douceur funèbre, un charme assoupissant [...] Mme Arnoux était pour lui comme une morte dont il s'étonnait de ne pas connaître le tombeau tant cette affection était devenue tranquille et résignée. (p. 117)

Cette fin de partie présente une certaine symétrie avec la fin du roman (3e partie, chap. V et VI) : renoncement au mariage avec Mme Dambreuse et passion apaisée pour Mme Arnoux, puis vie médiocre (chap. VII). La première partie se présente un peu comme le roman en réduction (pour confirmer cette similitude, voir aussi au centre de la première partie (chap. IV) la manifestation des étudiants à Paris, comme sont au centre du roman (2ᵉ partie, chap. VI et 3ᵉ partie, chap. I) les événements de la révolution de 1848).

Donc une nouvelle fois la dynamique impulsée retombe, le mouvement narratif est comme frappé de paralysie, le héros ne trouve en lui ni les ressources, ni la volonté nécessaires pour lutter contre le sort et satisfaire ses désirs ; il se résigne et opte pour une situation médiocre. Seul un événement extérieur (inattendu) peut *sauver* le récit.

• Retour aux origines de l'action

L'annonce de l'héritage de l'oncle réamorce subitement les deux programmes narratifs ; la narration semble alors une fois de plus échapper à l'immobilisme qui la gagnait et la deuxième partie peut commencer :

> Vingt-sept mille livres de rente ! — et une joie frénétique le bouleversa à l'idée de revoir Mme Arnoux [...]
> Mme Moreau, surprise de ses façons, lui demanda ce qu'il voulait devenir.
> — Ministre ! répliqua Frédéric.
> Et il affirma qu'il ne plaisantait nullement, qu'il prétendait se lancer dans la diplomatie [...]. Il entrerait d'abord au conseil d'État, avec la protection de M. Dambreuse. (p. 119)

La quête amoureuse est ravivée et redevient l'objectif premier ; le modèle balzacien de la réussite sociale est de nouveau convoqué (Rastignac finira ministre). Le héros, Frédéric, se retrouve dans la situation qui était la sienne à la fin des deux premiers chapitres de la première partie ; le récit se répète, se duplique, ne progresse quasiment pas. La première partie fait figure de partie *blanche*. Et la dynamique d'action qui s'enclenche en début de deuxième partie correspond en fait dans l'ensemble à ce que le lecteur attendait à l'issue des deux premiers chapitres du roman. Les démarches de Frédéric en début de deuxième partie pourraient les prolonger assez naturellement (mais quatre chapitres se sont écoulés entre ces deux moments) :

- Frédéric cherche Mme Arnoux (qui n'habite plus à son ancienne adresse) ;
- retrouvailles décevantes ;
- il choisit de privilégier son entrée dans le monde : projet de visite aux Dambreuse ; achat d'une garde-robe ;
- il rend finalement visite aux Arnoux ;
- il se rend chez Dambreuse un peu plus tard (2e partie, chap. II).

❑ Foisonnement et concurrence des projets de vie

Revenir par deux fois, comme nous venons de le voir, au point de départ de la dynamique narrative contribue à créer une impression de piétinement, de progression impossible de l'action. L'écrivain américain Henry James évoqua cette architecture particulière de manière très suggestive en qualifiant le roman de « gigantesque ballon fait de pièces de soie solidement cousues et gonflées avec patience mais qui refuse obstinément de quitter terre ».

Cette impression est encore renforcée par un processus de redoublement fréquent qui intervient à différents niveaux de l'action et qui en affecte le déroulement. En effet, le récit actualise de multiples possibles que le héros suit mais entre lesquels il ne parvient pas à choisir. Aussi son parcours n'est pas un trajet linéaire, mais une succession de lignes brisées, un itinéraire caractérisé par le discontinu.

• Incompatibilité de l'amour et de la réussite

Les deux principales lignes d'action (faire aboutir une passion et réussir dans la vie) se déroulent en parallèle et semblent au début du roman pouvoir être menées de front. Dans le deuxième chapitre de la deuxième partie, Mme Arnoux presse Frédéric de prendre une situation et l'encourage à profiter de ses relations avec les Dambreuse : « Elle le voulait, il obéit » (p. 177).

L'amour commande l'ambition. Mais ce point de convergence est unique car fondamentalement les deux quêtes sont concurrentes et même antagonistes : la femme dont le héros est amoureux, Mme Arnoux, n'est pas celle qui peut le servir dans ses ambitions sociales, Mme Dambreuse (cette situation n'est celle ni de Rastignac, ni de Bel-Ami). L'ambiguïté de cette situation et le malentendu qui persistera longtemps dans l'esprit de Frédéric sont soulignés par le narrateur dès le chapitre II de la première partie :

> Tu réussiras, j'en suis sûr !
> Frédéric avait tant de confiance en Deslauriers, qu'il se sentit ébranlé, et oubliant Mme Arnoux, ou la comprenant dans la prédiction faite sur l'autre (Mme Dambreuse), il ne put s'empêcher de sourire. (p. 35)

Et à la fin du chapitre II de la deuxième partie, après une soirée passée chez les Dambreuse, l'idée de faire de Mme Dambreuse sa maîtresse lui vient à l'esprit ; réussite sociale et projet sentimental se confondent et brouillent les pistes :

> M. Dambreuse s'était montré excellent et Mme Dambreuse presque engageante [...] Ce serait crânement beau d'avoir une pareille maîtresse ! Pourquoi non, après tout ? Il en valait bien un autre ! (p. 185)

Vie privée et vie publique s'opposent pourtant en général et Frédéric ne cesse d'hésiter face à cette double quête. Il ne choisit jamais véritablement, passe de l'une à l'autre en se laissant le plus souvent guider par le hasard (voir les deux invitations concurrentes chez Arnoux et chez Dambreuse dans la première partie). Ces deux programmes narratifs majeurs qui ne fusionnent pas posent d'emblée la structure du roman comme problématique en même temps qu'ils la déterminent.

Les deux quêtes principales, en dépit des va-et-vient constants de l'une à l'autre, ne peuvent être menées de front : l'une est subordonnée à l'autre ou même s'efface momentanément pendant que l'autre se réalise et passe au premier plan de la narration. Ainsi la deuxième partie est centrée sur le projet amoureux alors que la troisième partie est consacrée à la réussite sociale. Les lignes de force s'inversent et cet effet de cassure ne va pas sans déranger le lecteur habitué à plus de continuité dans l'action, à plus de constance de la part de personnages mettant leur énergie au service d'un projet fondamental et moins sujets à de hardis revirements que ne l'est Frédéric...

Voyons cela de manière plus précise.

Dans la deuxième partie, bien que Frédéric déçu par Mme Arnoux décide de donner la priorité à son entrée dans le monde, le projet amoureux est privilégié : deux projets de visite chez les Dambreuse sont détournés au profit de visites rendues à Mme Arnoux. (Il achète une garde-robe pour rendre visite aux Dambreuse et se rend finalement chez Arnoux ! Il ne se rend pas au rendez-vous fixé par Dambreuse pour l'affaire des houilles mais va à la fabrique de Creil pour voir Mme Arnoux.)

Frédéric fréquente ensuite les Dambreuse essentiellement pour plaire à Mme Arnoux, ou pour lui rendre service (« Il espérait parvenir au Conseil d'État grâce à M. Dambreuse le député » : mensonge pour plaire à Mme Arnoux. Mme Arnoux insiste pour qu'il « utilise » ses relations : « Il obéit ». Il intervient auprès de Dambreuse à propos de dettes d'Arnoux sur la requête de Mme Arnoux). On constate ensuite une longue éclipse de l'ambition sociale (p. 269-311), et plus particulièrement à la fin de la deuxième partie (p. 291-311) quand Frédéric se consacre entièrement à Mme Arnoux et est sur le point de voir aboutir sa quête amoureuse : faire de Mme Arnoux sa maîtresse.

Après le rendez-vous manqué de la rue Tronchet, c'est-à-dire l'échec de l'amour, le programme amoureux est volontairement abandonné et le héros se tourne délibérément vers la vie sociale : « Il se jura de n'avoir plus même de désir et comme un feuillage emporté par un ouragan son amour disparut. Il en ressentit un soulagement, une joie stoïque, puis un besoin d'actions violentes ; et il s'en alla au hasard, par les rues » (dans les rues commencent les émeutes de juin 1848).

La conquête du pouvoir devient prédominante dans la troisième partie. Certes, le grand amour ne s'effacera pas magiquement et définitivement, mais il sera minoré et subordonné à la réussite sociale qui passe essentiellement par les Dambreuse. Alors, presque tout ce qui concerne Mme Arnoux passe par M. et Mme Dambreuse ou interfère avec eux : Frédéric, après un long silence et une longue séparation, rencontre Mme Arnoux à un dîner chez les Dambreuse ; il emprunte de l'argent à Mme Dambreuse pour sauver Arnoux de la ruine ; il utilise les souvenirs de sa passion pour Mme Arnoux pour courtiser Mme Dambreuse...

Lorsque la quête amoureuse ressurgit au premier plan, à la fin du roman, le projet de réussite sociale lié au mariage avec Mme Dambreuse est abandonné. Frédéric vole au secours de Mme Arnoux, mais elle est déjà partie pour Le Havre ; il ne supporte pas que son image, son souvenir soient « profanés » au cours de la vente aux enchères de ses biens : l'importance redonnée à Mme Arnoux, la femme aimée, entraîne la rupture définitive avec Mme Dambreuse.

Prolongements

♦ *Repérez les temps forts de la conquête du pouvoir dans la troisième partie du roman, et mesurez l'importance que prennent M. et Mme Dambreuse par comparaison à Mme Arnoux dans la narration.*

• Multiplication des parcours

Les deux objectifs essentiels sont poursuivis par Frédéric par intermittence. D'autres possibles sont actualisés, liés à deux autres quêtes secondaires qui se présentent comme des répliques mineures et dégradées des quêtes fondamentales et initiales :

- séduire, conquérir Rosanette (quête amoureuse, version dégradée de la passion pour Mme Arnoux) ;
- épouser Louise Roque (quête du pouvoir), arriver grâce à l'argent du père Roque (substitut dévalué des Dambreuse).

LES POSSIBLES NARRATIFS

Le développement du récit correspond à un processus de *transformation* qui consiste à mettre en œuvre différents moyens pour passer de l'état initial à l'état final. Cette transformation va en principe dans le sens d'une *amélioration* à apporter puisque l'événement qui a déclenché le récit (c'est-à-dire la force transformatrice) a modifié l'équilibre de l'état initial ; il s'agit donc soit d'éliminer un obstacle, soit de satisfaire un manque... Mais le résultat recherché peut aussi n'être pas obtenu, il y a alors *dégradation*. Ainsi, à chaque étape du déroulement du récit (succession logique de causes à effets ou chronologique) se présentent plusieurs possibilités de continuer le récit (qualifiées par Claude Brémond de « possibles narratifs »[1], une seule étant retenue. Dans cette successivité, il peut y avoir alternance d'*amélioration* et de *dégradation*.

La recherche des possibles narratifs permet de faire apparaître les grands traits de la dynamique d'un récit ou d'un texte.

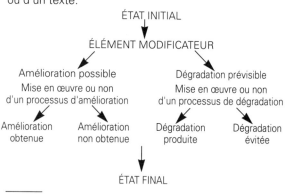

ÉTAT INITIAL

ÉLÉMENT MODIFICATEUR

Amélioration possible
Mise en œuvre ou non
d'un processus d'amélioration

Dégradation prévisible
Mise en œuvre ou non
d'un processus de dégradation

Amélioration obtenue — Amélioration non obtenue — Dégradation produite — Dégradation évitée

ÉTAT FINAL

1. Claude BRÉMOND, *La logique des possibles narratifs*, Communications n° 8, « L'Analyse structurale du récit », Seuil, 1966.

Les quêtes secondaires, qui engendrent des parcours que l'on pourrait qualifier de sous-programmes, sont impulsées dès la deuxième partie :

> Il était léger en sortant de là, ne doutant pas que la Maréchale ne devînt bientôt sa maîtresse. (p. 155) [...] Il se trouvait stupide cependant [...], et résolut de s'y prendre avec la Maréchale carrément (p. 169).

> Il devait ou restreindre sa dépense, ou prendre un état, ou faire un beau mariage.
> Alors, Deslauriers lui parla de Mlle Roque (p. 267) [...] L'idée de se marier ne lui paraissait plus exorbitante [...] La fortune de M. Roque le tentait d'ailleurs [...] Mais il était résolu (quoiqu'il dût faire) à changer d'existence, c'est-à-dire à ne plus perdre son cœur dans des passions infructueuses (p. 280).

La réussite sociale pourrait également passer par le talent personnel, la réalisation d'ambitions intellectuelles, logiquement associées à la vie d'étudiant (Frédéric a plusieurs projets qu'il caresse successivement : être écrivain, puis être peintre, créer un journal en association avec Deslauriers...).

Cette multiplication des possibles offerts en parallèle est tout à fait tangible à plusieurs reprises dans le roman. Ainsi, au début du chapitre II de la deuxième partie, Frédéric rend visite aux Dambreuse (p. 149) pour entrer dans le monde, puis « comme promis » à la Maréchale (p. 151) et par amour à Mme Arnoux (p. 155). C'est encore plus net au chapitre V de la deuxième partie : Frédéric, alors qu'il s'est « replié » à Nogent, reçoit trois lettres, une de Deslauriers qui l'encourage à rester à Nogent (afin d'avoir le champ libre pour courtiser Mme Arnoux), une invitation à dîner des Dambreuse et un mot de Rosanette qui a besoin d'argent.

Ce processus de duplication fait que sont multipliées les possibilités parmi lesquelles le héros ne parvient pas à choisir... si même la nécessité du choix s'impose à son esprit !

En résulte une impression de piétinement, de dispersion très sensible à la lecture : foisonnement d'actions et sentiment de néant, aucune piste empruntée n'étant suivie jusqu'à son terme.

Les va-et-vient d'un désir à l'autre créent des ruptures dans le déroulement narratif, et l'on constate que le plus souvent le récit bifurque quand il y a échec du héros ou tentative avortée. En effet, le processus de dégradation est prédominant (en particulier dans le domaine de la quête amoureuse) et provoque une recherche d'équilibre par l'emprunt d'autres voies possibles pour obtenir une satisfaction — même dégradée.

De plus, lorsqu'une amélioration est obtenue dans l'une des voies de *remplacement,* cette amélioration se lit comme une dégradation par rapport aux quêtes primordiales.

Dans *L'Éducation sentimentale*, la multiplication des possibles, des parcours jamais aboutis semble étroitement liée aux projets irréalisables. Le roman de l'*échec* amoureux et mondain est aussi le roman de la narration *impossible*.

III. L'HISTOIRE SANS FIN

❏ L'amour impossible, la réussite inaboutie

De même que la dynamique narrative tarde à se mettre en place, la fin, le nouvel équilibre escompté se font attendre. La fin est différée et partiellement inaboutie.

L'ensemble final défie lui aussi les structures traditionnelles. Tout d'abord, les deux scènes de *résolution* se trouvent séparées. La quête du pouvoir s'achève à la fin du chapitre VI de la troisième partie. Frédéric renonce à son mariage avec Mme Dambreuse et par là-même il renonce à faire carrière, à occuper une place dans le monde. Il quitte Paris, la ville clé de la réussite sociale. Ensuite, la scène de résolution de la quête amoureuse se présente comme véritablement isolée du corps du roman, comme s'il était difficile de conclure, de faire aboutir une passion sans issue et comme si cet instant était sans cesse différé. En effet, cette scène apparaît après une ellipse narrative et un long temps — environ seize ans — vécu par le héros hors du champ romanesque et dont il est rendu compte par un récit sommaire :

> Il voyagea.
> Il connut la mélancolie des paquebots, les froids réveils sous la tente, l'étourdissement des paysages et des ruines, l'amertume des sympathies interrompues.
> Il revint.

La scène des adieux surgit alors que l'état final semble atteint :

> Ses ambitions d'esprit avaient également diminué. Des années passèrent ; et il supportait le désœuvrement de son intelligence et l'inertie de son cœur.
> Vers la fin de mars 1867, à la nuit tombante, comme il était seul dans son cabinet, une femme entra.
> — Madame Arnoux !

La rupture du *continuum* narratif est très sensible à la lecture. Le décalage formel rend bien la *suspension* de la quête, l'inassouvissement de la grande passion de Frédéric qui résiste au temps et survit à la séparation. (C'est tout l'art des *blancs* de Flaubert qui faisait l'admiration de Proust.)

On constate aussi que cette *résolution* est fausse ; en effet, la visite de Mme Arnoux n'apporte pas, comme le lecteur pourrait s'y attendre s'il se réfère aux schémas classiques, la satisfaction du manque posé dès le début du roman. Mme Arnoux ne cédera pas au désir de Frédéric — certes réavivé pour la circonstance ! — qui pense qu'elle est venue s'offrir. Elle est seulement venue lui dire adieu définitivement et lui signifier qu'elle l'a beaucoup aimé. En ce sens, malgré tout, cette révélation peut faire figure de *résolution,* apportant une réponse à ce qui est resté pendant tout le roman pour Frédéric une question non résolue : sa passion est-elle partagée ?

Le contenu de cette scène est l'inverse de la scène initiale de la rencontre (sujet [Frédéric] + objet disjoint [Mme Arnoux]) mais on constate que la conjonction (sujet + objet) n'est réalisée que momentanément et qu'elle est incomplète ; à l'absence de possession physique succède une nouvelle séparation : « Et ce fut tout ».

❏ Le retour du passé

Le manque non comblé laisse une fin ouverte quant à la quête amoureuse, fondamentale, conduite tout au long du roman. Et la clôture se réalise d'une manière étonnante... là où on ne l'attendait pas, mais en restant dans le domaine sentimental !

En effet, Frédéric et Deslauriers, de nouveau réunis, évoquent leur vie et tombent d'accord sur le meilleur moment du passé : leur première initiation amoureuse, leur première expérience sentimentale, leur visite chez la Turque au temps de leur adolescence. Or cet épisode n'est inscrit ni dans le temps ni dans l'espace romanesque ; il a pris place avant que ne commence l'histoire « trois ans après » (1840) et il y est fait allusion rétrospectivement, et sous forme d'énigme pour le lecteur (à ce moment-là), dans le chapitre II de la première partie :

> Cependant à vingt toises des ponts, sur la rive gauche, une lumière brillait dans la lucarne d'une maison basse.

Deslauriers l'aperçut. Alors, il dit emphatiquement, tout en retirant son chapeau :

— Vénus, reine des cieux, serviteur ! Mais la Pénurie est la mère de la Sagesse. Nous a-t-on assez calomniés pour ça, miséricorde !

Cette allusion à une aventure commune les mit en joie. Ils riaient très haut, dans les rues. (p. 36)

Cet épisode, raconté en détails dans le dernier chapitre, fait que la fin du roman rejoint le début avant même son commencement. Il est aussi hautement symbolique et on peut penser que, resté jusqu'à la conclusion dans le non-dit du texte, il n'a pas cessé de le travailler. En effet, il apparaît comme le contrepoint dérisoire de la grande passion amoureuse pour Mme Arnoux (comme pour s'en défendre !) ; la scène est marquée elle aussi par l'impuissance et l'échec :

Frédéric présenta le sien [son bouquet], comme un amoureux à sa fiancée. Mais la chaleur qu'il faisait, l'appréhension de l'inconnu, une espèce de remords, et jusqu'au plaisir de voir, d'un seul coup d'œil, tant de femmes à sa disposition, l'émurent tellement, qu'il devint très pâle et restait sans avancer, sans rien dire. Toutes riaient, joyeuses de son embarras ; croyant qu'on s'en moquait, il s'enfuit ; et, comme Frédéric avait l'argent, Deslauriers fut bien obligé de le suivre. (p. 459)

La visite chez la Turque renvoie également au titre, au point de départ du roman et l'éclaire de manière singulière : *L'Éducation sentimentale* ou cette expérience d'une première visite ratée dans une maison close, « un dimanche, pendant qu'on était aux vêpres », le désir de transgresser l'interdit mais l'impuissance, l'échec monté en triomphe ou en plaisir :

Il se la [l'histoire] contèrent prolixement, chacun complétant les souvenirs de l'autre ; et, quand ils eurent fini :

— C'est là ce que nous avons eu de meilleur ! dit Frédéric.

— Oui, peut-être bien ? C'est là ce que nous avons eu de meilleur ! dit Deslauriers. (p. 459)

La fin du roman impose le retour à l'origine de l'éducation sentimentale du héros et la structure circulaire signifie bien l'enfermement dans une conduite marquée par l'échec.

❏ Ébauche de significations

Comment interpréter ces décalages, ces ruptures avec les modèles narratifs traditionnels ?

On peut émettre plusieurs hypothèses en rapport avec l'écriture romanesque.

L'une de ces hypothèses est fondée sur la dimension fondamentalement autobiographique du roman. Il doit être la mémoire de la passion idéale et impossible de l'adolescence et manifester la trace de l'origine de l'écriture et de l'écrivain.

L'amour *fou* de Flaubert adolescent pour Élisa Schlésinger est demeuré platonique, a été vécu comme impossible. Cette expérience est étroitement liée à l'écriture, à la création littéraire, comme le prouvent les œuvres de jeunesse qui s'en nourrissent *(Les Mémoires d'un fou*, 1838 ; la première *Éducation sentimentale*, 1845)*.

Or, l'amour impossible est le sujet du roman de 1869 et les « ratages » successifs de la narration disent l'échec d'une passion, l'impuissance à réaliser et à vivre l'utopie amoureuse en même temps qu'ils consacrent l'expérience fondatrice de l'écriture. (Il s'agit bien de la construction imaginaire de cette passion autobiographique... *entretenue* comme inaccessible).

Les dimensions sociale et historique du roman orchestrent aussi cette thématique structurante de l'échec d'un idéal, de la désillusion d'une génération qui n'est grande que dans l'impuissance (voir ci-dessous la troisième partie).

Une autre hypothèse importante est liée à l'affirmation et à la pratique de certains principes d'écriture par l'écrivain Flaubert lui-même, principes qui ont d'ailleurs largement contribué à faire, de ce roman, un roman de la modernité :
- le réalisme poussé à l'extrême ;
- le refus et la parodie d'une conception romantique de l'existence ;
- le refus de conclure, d'imposer une signification unique...
- le jeu avec les influences littéraires et en particulier l'influence balzacienne...

Au nom du réalisme, le parcours de l'individu ordinaire, se laissant le plus souvent porter par les événements, se substitue à la destinée exceptionnelle du héros traditionnel. De même le déroulement de la vie, les hésitations, les inconnues de l'existence sont mieux rendues par le discontinu de la narration qui rend impossible la signification immédiate. La narration montre alors le roman en train de se faire. Ce procédé sera systématisé par le Nouveau roman.

Au nom du réalisme, il y a aussi refus de la structure classique, refus attesté par Flaubert lui-même qui qualifie l'architecture de *L'Éducation sentimentale* de « pyramide posée sur son sommet ». (C'est, selon lui, une des causes de l'insuccès de l'œuvre auprès du public.)

La conception romantique de l'existence se trouve parodiée à travers l'importance accordée au grand amour, au sentiment, à travers la naïveté et l'enthousiasme du héros tour à tour affirmés, développés et tournés en dérision par le narrateur qui *mine* le texte et conduit son héros et la narration dans des impasses.

Le jeu sur le modèle romanesque de référence aboutit à une contestation du roman d'apprentissage et impose les nouvelles règles de l'apprentissage pour la génération de 1848 et celles des temps modernes à venir. Un parcours, mais brisé, sans ascension sociale et sans aucune réussite personnelle ; pas davantage de progrès intérieur ; pas de fin tragique non plus... la médiocrité dont on se contente.

L'intertextualité est à l'œuvre dans le roman et sur le mode parodique. Si Deslauriers ressemble davantage à Rastignac que Frédéric, il n'en finit pas moins dans la même médiocrité. Frédéric est au *Père Lachaise* après la mort de Dambreuse mais il n'est point besoin de défi à Paris pour réussir... Mme Dambreuse et sa fortune lui sont acquises : « Frédéric, fatigué, rentra chez lui » est à comparer aux dernières lignes du *Père Goriot* de Balzac : « Et pour premier acte du défi qu'il portait à la société, Rastignac alla dîner chez Mme de Nucingen. »

On trouve aussi, comme en clin d'œil, une caricature du roman d'apprentissage par Hussonnet évoquant le duel de Frédéric :

> Article intitulé : « une poulette entre trois cocos » [...] « un jeune homme du collège de Sens et qui "en" manque » [...] un pauvre diable de provincial, un obscur nigaud, tâchant de frayer avec des grands seigneurs [...] un intermédiaire, le « protecteur » lui-même, était survenu juste à temps. (p. 259)

La destruction des structures romanesques traditionnelles transforme la représentation romanesque du réel et impose la priorité de l'écriture sur la matière romanesque. Cette destruction empêche la signification attendue, convenue, et trouble, subvertit le sens. Du même coup, le réel évoqué garde son opacité et permet des lectures variées.

Deuxième partie

LES PERSONNAGES
ET L'UNIVERS ROMANESQUE

I. FRÉDÉRIC ET DESLAURIERS

Il est d'usage d'étudier séparément, individuellement et souvent d'un point de vue exclusivement psychologique les personnages d'un roman. Or aussi vrai qu'un personnage paraisse, il est d'abord un être d'écriture, un élément d'un système qui comprend tous les personnages du roman, le fruit d'une combinatoire. Il ne prend vraiment forme et intérêt que par comparaison à un ou plusieurs autres personnages avec lesquels il entre en relation priviligiée, avec lesquels il constitue un groupe organisé, repérable et signifiant, une *constellation*. Ainsi, comme nous allons le voir plus en détails, Frédéric, le personnage principal, paraît construit sur la base d'un dédoublement presque parfait de son inséparable ami, Deslauriers. Mais le groupe des jeunes gens du roman dont il fait partie et qu'il fréquente participe aussi à la composition de son personnage, lui donnant davantage de complexité et d'*existence*.

❑ Frédéric : le personnage principal

« Un jeune homme de dix-huit ans, à longs cheveux et qui tenait un album sous son bras, restait auprès du gouvernail, immobile » : ainsi le héros nous est-il présenté dès la première page de *L'Éducation sentimentale*. Cette présentation est très sommaire ; le portrait est refusé, seule est esquissée une allure générale, celle du jeune homme romantique. Par la suite, le roman reste très allusif au sujet du physique du personnage. On devine seulement que Frédéric a un physique délicat, des traits fins et même efféminés (Deslauriers l'appelle ironiquement « Mademoiselle », p. 79). Son âge est immédiatement donné ; si le positionnement dans le temps est plus saillant, on peut supposer qu'il est plus important que d'autres qualifications attendues et omises (voir p. 46). Les caractéristiques psychologiques et morales sont elles aussi fort peu appuyées, du moins explicitement ; l'*être* du personnage est essentiellement désigné en creux à travers son comportement général face à l'action (le *faire* ou ici le *non-faire*) : velléités d'action, impuissance à agir avec quelque constance. D'entrée, l'attitude du jeune homme semble le signifier : « immobile » ! Dans les deux premiers chapitres le passé du personnage est évoqué à larges traits (origines familiales et études au collège). Dans l'ensemble donc, les qualifications du personnage sont assez réduites, mais elles n'en sont pas moins efficaces.

> M. Frédéric Moreau, nouvellement reçu bachelier, s'en retournait à Nogent-sur-Seine, où il devait languir pendant deux mois, avant d'aller *faire son droit.* Sa mère, avec la somme indispensable, l'avait envoyé au Havre voir un oncle, dont elle espérait, pour lui, l'héritage [...] (p. 19)

Toujours dans la première page du roman, le nom du personnage est donné en même temps que sa situation *professionnelle* et sociale. Le rôle thématique du personnage est clair, c'est celui de l'étudiant du milieu du XIXe siècle (dernière génération des romantiques) et les *programmes* potentiels qui caractérisent ce rôle sont au cours du roman déroulés conformément aux attentes du lecteur. Les actions qui y sont liées, les attitudes, l'état d'esprit du jeune homme étudiant sont mentionnés à plusieurs reprises et nourrissent la matière romanesque. Frédéric fait des études de droit (p. 39), il échoue d'abord à ses examens (p. 80) puis réussit (p. 107). Ses projets de carrière s'appuient sur cette formation : il vise le ministère ou le Conseil d'État avec l'appui de Dambreuse (p. 130), puis Dambreuse lui propose une place de secrétaire général (p. 213-263) en vue du Conseil général et de la députation. Ce poste de député motive quelques démarches de Frédéric (p. 327-329, 401, 416). Par ailleurs, Frédéric est tenté par la littérature et l'écriture, il voudrait se distinguer dans et par les Lettres, il a plusieurs projets et rêves : écrire un roman d'aventures et romantique (p. 42) après avoir « ambitionné » au collège d'« être un jour le Walter Scott de la France » (p. 31), être un grand poète (p. 69), écrire une histoire de l'esthétique (p. 167), composer une histoire de la renaissance (p. 208). Il s'intéresse à l'art, à la peinture ; il prend même des cours avec Pellerin, fréquente des artistes. Il encourage aussi, dans un premier temps, le projet de création de journal de Deslauriers. Frédéric correspond bien — en même temps qu'il la renforce — à la représentation que l'on se fait de l'étudiant de cette époque qui rêve de gloire artistique et littéraire.

Qu'aucun de ces *programmes* ne soit mené à bien est significatif du personnage, plus éloquent par ce qu'il tente que par ce qu'il réalise vraiment.

Même si l'on peut difficilement parler de héros quand on évoque le personnage de Frédéric, son rôle actantiel apparaît très nettement. Il est bien le sujet d'une quête, quête double comme nous l'avons montré dans la première partie, et à ce titre il est l'actant indispensable au déroulement narratif. Cette quête le constitue de manière primordiale comme personnage, même si il ne se comporte pas comme un héros traditionnel, c'est-à-dire faisant preuve d'un engagement déterminé dans la poursuite de son but. Passif et velléitaire, Frédéric fait figure d'anti-héros avant la date. Il subit plus qu'il n'agit, se laisse porter comme impuissant par la force des événements et du hasard, c'est déjà un *héros* de la modernité caractérisé par une absence d'adhésion profonde à un quelconque projet de vie que l'époque rend illusoire ou impossible.

Le personnage de Frédéric est surtout mieux défini par comparaison avec les autres personnages et en particulier avec Deslauriers, qui apparaît comme son jumeau, son double sombre et rival.

❏ Frédéric et Deslauriers

Les personnages de Frédéric et Deslauriers sont conçus dans une opposition tellement nette qu'elle ne peut qu'avoir été voulue par l'auteur. Ces profils de frères ennemis peuvent se prêter à diverses interprétations fondées sur des éléments extérieurs à l'œuvre (il s'agirait de Flaubert et de son ami Maxime Du Camp, ou de deux facettes de la personnalité de Flaubert...).

Nous ne retiendrons que la grande efficacité littéraire de cette opposition et ses significations internes à l'œuvre.

L'un est le plus souvent désigné par son prénom, Frédéric, alors que l'autre l'est par son nom, Deslauriers.

Frédéric est nommé, dès sa première apparition, par le narrateur : prénom d'abord, puis prénom et nom, Frédéric Moreau. Ensuite, c'est lui qui nomme et présente son ami : Deslauriers (p. 29) ; une seule mention du prénom par la suite : Charles (« le père de Charles Deslauriers », p. 30).

Lorsqu'il n'est pas désigné par son nom, Deslauriers l'est par son activité originelle et principale : le clerc (dès son enfance, il a travaillé pour son père qui avait une charge d'huissier, il a même l'épaule droite déformée à force d'avoir copié des actes. Il sera par la suite maître-clerc...). Ce mode de désignation est d'une très grande efficacité. L'expression, ici un nom commun, le clerc, devient une sorte d'emblème, immédiatement représentatif du personnage. On ne peut qu'être sensible à la valeur connotative du mot : subalterne, gratte-papier, rond-de-cuir, esprit étroit, bureaucrate... De plus, les différents substituts de la désignation commune marquent et rappellent au lecteur, au cours du roman, l'évolution du personnage : « l'ancien clerc », « l'ex-commissaire du gouvernement provisoire ».

Frédéric et Deslauriers ont en commun l'appartenance à une même génération, le sexe, l'amitié, voire même des relations fraternelles, le passé au collège de Sens et à Nogent, un projet de vie en commun à Paris... mais dans les « choses de la vie », ils sont essentiellement différents et leurs parcours s'opposent, leurs points de vue aussi tout au long du roman...

Cette « fabrication » des personnages en opposition est aisément repérable ; le tableau de la page suivante en résume les principaux traits.

Les formules finales (3e partie chap. VII) résument parfaitement, dans une concision étonnante, les deux personnages, leurs personnalités et leurs parcours. Ressort bien ainsi la part de démonstration liée à la *fabrication* des deux personnages et le message se lit assez clairement : l'échec est consubstantiel à la génération de 1848 puisque des origines, des tempéraments, des choix opposés et des voies divergentes y conduisent pareillement. On ne peut que voir dans cet échec inéluctable l'affirmation d'un pessimisme notoire.

	FRÉDÉRIC	DESLAURIERS
Famille	Figure familiale dominante : la mère (père mort)	Figure familiale dominante : le père (mère morte), enfance malheureuse (battu par le père)
Origines	Mère noble, rentes	Père modeste, boursier
Centres d'intérêt	Littérature, musique, peinture...	Économie sociale, histoire, politique
Caractère	Sentimental, rêveur, romantique, velléitaire, paresseux	Dur, exigeant, pragmatique, réaliste, volontaire, sérieux
Idéologie	Républicain romantique	Républicain déterminé, théoricien
Engagement	Presque inexistant, spectateur passif	Partie prenante du processus révolutionnaire
Travail	Un bref emploi de clerc (quelques mois) quand il apprend qu'il est ruiné. Oisif, rentier	Nombreux emplois quand il est étudiant et ensuite par nécessité
Ambition	Surtout celle insufflée par Deslauriers	Grande ambition, soif de pouvoir sur les autres
Amour	Grands succès auprès des femmes, sait se faire aimer	Aucun succès amoureux, maladroit et méprisant
	La ligne de fracture essentielle entre les deux personnages passe entre l'amour et l'ambition. C'est dans ces deux domaines que se lit le mieux leur profil inversé : Frédéric a beaucoup de succès auprès des femmes, Deslauriers aura des satisfactions, sur le plan social : commissaire du gouvernement provisoire, préfet...	
Échec	Il a « rêvé l'amour », « trop de sentiment » « défaut de ligne droite »	Il a « rêvé le pouvoir », « trop de logique » « excès de rectitude »

Les relations entre les deux personnages sont encore plus complexes que ne fait apparaître cette distribution autour de deux pôles opposés.

Deslauriers est le protégé de Frédéric, il vit le plus souvent à ses crochets (il est souvent question d'argent entre eux) et dans son ombre, mais il veut sa réussite, le pousse à travailler, le stimule. Leur relation de *couple* est explicitement évoquée :

> Frédéric, en apercevant Deslauriers, se mit à trembler comme une femme adultère sous le regard de son époux. (p. 62)

Et le côté féminin de Frédéric est réaffirmé :

> Oh ! pardon, mon bonhomme, répliqua Deslauriers [...] on respectera désormais les nerfs de Mademoiselle ! (p. 79)

Cette relation a des effets particuliers dans le domaine amoureux. Deslauriers marche sur les brisées de Frédéric, les objets amoureux de Frédéric deviennent les siens : il courtise Mme Arnoux et échoue ; il séduit comme à la sauvette Rosanette qui cède par dépit, il offre ses services à Mme Dambreuse, épouse Louise Roque qui le quitte... Sa vie amoureuse est marquée du signe de l'échec, mais c'est surtout par ce biais-là qu'il fait du tort et de la peine à Frédéric... On peut même parler de trahison.

Malgré tout, une amitié profonde et ancienne, une grande tendresse les unissent (p. 63). D'où l'ambivalence de leurs sentiments (jalousie, rivalité/affection, fraternité) et la persistance de leur relation, seul point fixe et peut-être positif sur lequel se clôt le roman.

Frédéric et Deslauriers appartiennent aussi au groupe des jeunes gens, assez largement représenté dans le roman, et leur personnage entre donc en relation/confrontation avec ces autres personnages jeunes qui développent des caractéristiques semblables et différentes. Ce réseau de relations permet de rendre compte de la complexité du réel dans le roman.

LA PROBLÉMATIQUE DU PERSONNAGE

1. Le personnage créé par le romancier et le lecteur

Les personnages de roman sont des *êtres de papier* et de mots.

Ils sont produits par le roman et pour lui. Ils n'ont pas d'existence réelle, mais ils en donnent le plus souvent l'illusion — surtout dans les romans du XIXe siècle et les romans réalistes. Il faut donc se garder de confondre *personne* et *personnage*.

Le personnage est *fabriqué* et le lecteur se le représente mentalement à partir des mots, des syntagmes, des phrases qui ne le *disent,* ne le décrivent que partiellement. Les savoirs du lecteur sur le monde suppléent à ce qui n'est pas dit. C'est par un travail — inconscient — de reconstitution, de combinaisons qu'il peut *prendre vie.*

L'importance et la distribution des éléments constitutifs du personnage sont variables selon les auteurs et la présentation du personnage peut aller de l'accumulation, de la concentration — le portrait par exemple — aux remarques isolées disséminées dans toute l'œuvre. Ces *créations* différentes du personnage permettent de caractériser un auteur, un style. Flaubert par exemple ne procède pas du tout comme Balzac. Balzac a du goût pour les portraits longs, composites, freinant parfois la marche du récit. Flaubert pratique essentiellement l'esquisse rapide où seuls les traits caractéristiques des personnages sont soulignés.

2. Le personnage : dénomination et désignation

Il suffit pour constituer un personnage d'un nom propre, d'un pronom personnel, d'un syntagme nominal...

Ces désignations permettent de construire une image et une/des significations dominantes du personnage.

Plusieurs points sont à envisager :

- la manière dont le personnage est nommé ou désigné pour la première fois : nom, prénom, surnom...
- la manière dont il est présenté et par qui : lui-même, un autre personnage, le narrateur...
- les termes qui le reprennent au cours du roman : nom, prénom, qualification physique ou morale, profession...

3. Le personnage : acteur et actant

Rôle dans l'action, rôle thématique, qualifications : tels sont les trois éléments constitutifs du personnage qui s'organise à deux niveaux : un rôle actoriel et un rôle actantiel.

Le rôle actoriel comprend :

- des qualifications : le personnage reçoit un certain nombre de qualifications qui permettent de l'individualiser, de le distinguer. Ce sont généralement des attributs physiques, psychologiques, biographiques...
- un rôle thématique : le personnage se voit attribuer le plus souvent un rôle thématique, c'est-à-dire une fonction générale connue et reconnaissable, un certain nombre de traits fonctionnels qui le rattachent à un personnage type inscrit dans un milieu social donné (Frédéric est étudiant).

Le personnage se caractérise aussi par son rôle dans l'action : il est un actant, c'est-à-dire une force active qui structure les événements en fonction d'un modèle fondamental qui définit les fonctions essentielles des personnages dans un récit. Par exemple, la fonction sujet se caractérise par la quête d'un objet à conquérir ; ainsi, Frédéric cherche à obtenir de Mme Arnoux l'aveu de son amour — à défaut d'une possession souhaitée par intermittence, mais qui paraît impossible.

4. Le personnage : résultat d'une combinatoire

Le fonctionnement du personnage est aussi largement réglé par le rapport qu'il entretient avec les autres personnages.

En effet, tous les personnages d'un roman sont interdépendants. Un personnage ne prend vraiment forme que par comparaison à un ou plusieurs autres personnages : d'une part, il partage un certain nombre d'aspects avec ces personnages, d'autre part, il s'en distingue par différents traits, ou se construit dans une totale opposition. L'existence du personnage se constitue à l'articulation de ces traits communs et différentiels. Traits fondamentaux comme le sexe, l'âge, la condition sociale... ou circonstantiels (en fonction du roman).

Le personnage est un élément du microcosme représenté dans le roman ; on peut l'étudier dans un ensemble limité (couple de personnages) ou dans un ensemble élargi en faisant varier les combinaisons. On établit alors des constellations de personnages fondées sur des jeux de traits communs et différentiels.

II. CONSTELLATIONS DE PERSONNAGES

❑ Une constellation exemplaire : quatre jeunes gens

• Frédéric, Dussardier, Deslauriers, Sénécal

Ces quatre personnages s'organisent, *existent* les uns par rapport aux autres et ce jeu de relations constitue une *constellation*.

Dussardier et Sénécal prolongent, précisent, renforcent certains traits de Frédéric et Deslauriers en même temps qu'ils s'en distinguent. Les relations essentielles entre ces personnages (actions, points communs et traits différentiels), qui justifient leur rapprochement, sont aisément identifiables.

Les effets de parallélisme sont étonnants et permettent, une fois objectivés, de saisir quelques procédés de *fabrication* du monde romanesque qui se donne comme création magique d'un romancier-démiurge... (sans pour autant nier, bien entendu, la part irréductible de toute création).

• Frédéric et Dussardier

Frédéric a rencontré Dussardier au cours d'une manifestation d'étudiants ; avec Hussonnet, il obtient sa libération du poste de police (p. 48), puis devient son protecteur, son maître à penser, son ami... Dussardier sert de témoin à Frédéric au cours du duel qui l'oppose à De Cisy (p. 249-254). Il recherche la compagnie de Frédéric et se substitue momentanément à Deslauriers. Puis, il permet que ce dernier se réconcilie avec Frédéric (p. 266) et est, en conséquence, mis à distance.

Toutefois, l'importance qu'il revêt aux yeux de Frédéric et son profond attachement sont attestés quand Frédéric interrompt son idylle avec Rosanette pour se précipiter au secours de Dussardier blessé au cours des manifestations de juin 1848 à Paris. Ne faut-il pas aussi interpréter en ce sens l'unité ou la parenté phonique Dussardier-Deslauriers ?

Dussardier, « le garçon, le commis, le brave garçon, le brave commis », « sorte d'Hercule », « bâtard », ouvrier (« commis d'une maison de roulage »), est différent de Frédéric par son physique, ses origines et sa situation sociale. Il est aussi très actif (il est présenté en action la plupart du temps) et s'engage physiquement et moralement dans la Révolution. Mais il s'apparente à Frédéric par ses sentiments. Être sensible, généreux, foncièrement honnête, idéaliste, il avoue, en rougissant, vouloir aimer toujours la même femme. (p. 76)

• Deslauriers et Sénécal

Sénécal est présenté comme une connaissance de Deslauriers, et ce dernier encourage Frédéric à le fréquenter. Il vit avec Deslauriers dans l'appartement de Frédéric pendant son absence prolongée de la capitale (p. 113). Comme Deslauriers, il multiplie les emplois. Il devient le secrétaire de Deslauriers (p. 401) qui fait de lui son intermédiaire occulte, le manipule adroitement en exploitant sa haine pour Arnoux. Ainsi l'« agent d'affaires » participe activement à la ruine d'Arnoux poursuivi en justice par Rosanette et Mme Dambreuse (p. 431-442).

Sénécal, « le répétiteur, le répétiteur de mathématiques, l'ancien répétiteur, M. le sous-directeur, le mathématicien, l'ex-répétiteur... » accuse jusqu'à la caricature certains traits du personnage de Deslauriers. Extrémiste et dogmatique, « dur et froid dans ses yeux gris », il est aigri ; il a une grande soif de pouvoir et sa direction de l'usine de faïences de Creil appartenant à Arnoux le montre parfaitement. Il a aussi un grand besoin de revanche sur la classe bourgeoise. Mais il se différencie de Deslauriers en ce sens qu'il s'engage véritablement, qu'il met en rapport ses idées et ses actes. Il n'est pas opportuniste, ses « convictions » sont franchement « désintéressées ». (p. 157)

• Dussardier et Sénécal

Sénécal et Dussardier se ressemblent par leur engagement politique, même si leurs opinions divergent comme nous le verrons par la suite.

Ils s'opposent sur de nombreux plans. À la générosité de Dussardier correspond l'âpreté de Sénécal ; Dussardier propose de l'argent à Frédéric, Sénécal lui en emprunte ; Dussardier est naïf et pacifiste, Sénécal est formé politiquement et violent...

Dussardier admire Sénécal et il est très affecté quand ce dernier est emprisonné comme prévenu d'attentat politique. Il convainc Frédéric d'agir pour le sauver. Démarches vaines... Le lien profond entre les deux personnages est confirmé par l'ultime rencontre qui scelle leur *destinée* et où l'un sera la victime de l'autre : Sénécal menace Dussardier qui se jette sur l'épée tendue lors de la répression d'une émeute suite au coup d'État de Louis Napoléon Bonaparte. Alors, comme pour renforcer encore cet indissociable *couple* la disparition de l'un entraîne celle de l'autre : en effet, il ne sera plus fait mention de Sénécal, alors que dans le dernier chapitre il est fait état du devenir d'un grand nombre de personnages !

Les personnages de Dussardier et de Sénécal fonctionnent comme des *satellites* des personnages pôles que sont Frédéric et Deslauriers. Tout en les éclairant, ils illustrent d'autres attitudes et parcours possibles de jeunes gens d'une même génération. Cette constellation participe avec une grande économie de moyens à la représentation de la complexité sociale de l'époque. Elle donne de la *chair* au roman en nourrissant l'action et elle l'enrichit en permettant la diversité, l'éclatement, mais sans nuire à la cohérence.

Cette diversité de situations et de choix ne fait que renforcer l'idée de la vanité de toute action pour cette génération confrontée à un événement historique majeur, la révolution de 1848. Les quatre voies suivies aboutissent à l'échec sentimental et social, au reniement des idéaux de jeunesse, à la mort. (Cette constellation sera reprise en troisième partie pour montrer les choix et activités politiques des personnages clés, voir p. 83.)

❑ Une constellation féminine

• Premières apparitions

>   Frédéric, pour rejoindre sa place, poussa la grille des Premières, dérangea deux chasseurs avec leurs chiens.
>   Ce fut comme une apparition :
>   Elle était assise, au milieu du banc, toute seule ; ou du moins il ne distingua personne, dans l'éblouissement que lui envoyèrent ses yeux. En même temps qu'il passait, elle leva la tête ; il fléchit involontairement les épaules ; et, quand il se fut mis plus loin, du même côté, il la regarda.
>   Elle avait un large chapeau de paille, avec des rubans roses qui palpitaient au vent, derrière elle. Ses bandeaux noirs, contournant la pointe de ses grands sourcils, descendaient très bas et semblaient presser amoureusement l'ovale de sa figure. Sa robe de mousseline claire, tachetée de petits pois, se répandait à plis nombreux. Elle était en train de broder quelque chose ; et son nez droit, son menton, toute sa personne se découpait sur le fond de l'air bleu. (p. 23)
>
>   Frédéric sortit par un autre corridor, et se trouva dans le bas de la cour, auprès des remises.
>   Un coupé bleu, attelé d'un cheval noir, stationnait devant le perron. La portière s'ouvrit, une dame y monta et la voiture, avec un bruit sourd, se mit à rouler sur le sable.
>   Frédéric, en même temps qu'elle, arriva de l'autre côté, sous la porte cochère. L'espace n'étant pas assez large, il fut contraint d'attendre. La jeune femme, penchée en dehors du vasistas, parlait tout bas au concierge. Il n'apercevait que son dos, couvert d'une mante violette. Cependant, il plongeait dans l'intérieur de la voiture, tendue de reps bleu, avec des passementeries et des effilés de soie. Les vêtements de la dame l'emplissaient ; il s'échappait de cette petite boîte capitonnée un parfum d'iris, et comme une vague senteur d'élégances féminines. Le cocher lâcha les rênes, le cheval frôla la borne brusquement, et tout disparut. (p. 38)
>
>   Frédéric n'entendait plus. Il regardait machinalement, par-dessus la haie, dans l'autre jardin, en face.
>   Une petite fille d'environ douze ans, et qui avait les cheveux rouges, se trouvait là, toute seule. Elle s'était fait des boucles d'oreilles avec des baies de sorbier ; son corset de toile grise laissait à découvert ses épaules, un peu dorées par

le soleil ; des taches de confitures maculaient son jupon blanc ;
— et il y avait comme une grâce de jeune bête sauvage dans
toute sa personne, à la fois nerveuse et fluette. La présence
d'un inconnu l'étonnait, sans doute, car elle s'était brusquement arrêtée, avec son arrosoir à la main, en dardant sur lui
ses prunelles, d'un vert-bleu limpide. (p. 111)

Dès le bas de l'escalier, on entendait le bruit de violons.
— Où diable me menez-vous ? dit Frédéric.
— Chez une bonne fille ! n'ayez pas peur !
Un groom leur ouvrit la porte, et ils entrèrent dans l'anti-
chambre, où des paletots, des manteaux et des châles étaient
jetés en pile sur des chaises. Une jeune femme, en costume
de dragon Louis XV, la traversait en ce moment-là. C'était
Mlle Rose-Annette Bron, la maîtresse du lieu.
— Eh bien ? dit Arnoux.
— C'est fait ! répondit-elle.
— Ah ! merci, mon ange !
Et il voulut l'embrasser.
— Prends donc garde, imbécile ! tu vas gâter mon maquilla-
ge !
Arnoux présenta Frédéric.
— Tapez là-dedans, monsieur, soyez le bienvenu !
Elle écarta une portière derrière elle, et se mit à crier empha-
tiquement ;
— Le sieur Arnoux, marmiton, et un prince de ses amis !
(p. 135)

Chacune de ces femmes va contribuer à l'éducation sentimentale de Frédéric. C'est à travers son regard que nous les
découvrons. Et le choix de ce point de vue peut signifier qu'elles
ne sont que des *instruments* de sa formation et qu'une existence autonome se conçoit mal dans une société régie par les
hommes. Frédéric se fait le relais du narrateur et les premières
visions qu'il a d'elles sont autant d'instantanés où elles sont
typées à la perfection et où s'exprime par anticipation, dans
une concision remarquable, la quintessence de la relation qu'il
entretiendra avec chacune d'elles :

- la madone inaccessible, Mme Arnoux ;
- la grande dame raffinée, Mme Dambreuse ;
- la jeune sauvageonne, Louise Roque ;
- la courtisane gaie et théâtrale, Rosanette.

• Quatre femmes pour une éducation sentimentale

À la vue de la première, il est immédiatement ébloui, subjugué par une apparence hors du commun qui éclipse tout autour d'elle ; il ressent physiquement la puissance de la révélation amoureuse. C'est le coup de foudre !

Il ne parvient pas à voir nettement la deuxième ; il la saisit comme par effraction ! Ses sens la devinent, elle reste mystérieuse, il est intrigué et frustré. Il est à pied et doit s'effacer pour la laisser passer.

La troisième l'étonne et l'amuse ; il la découvre alors qu'il est assis à côté de sa mère. Il remarque en elle ce mélange de petite fille, naturelle, et de femme, coquette. Il cherche à interpréter son comportement spontané et la franchise de son regard.

Il rencontre la quatrième en position de tierce personne ignorant le sens des propos tenus en sa présence ; intrusion involontaire dans l'intimité d'autrui, mystère là aussi, mais celui des affaires louches. Présentation par un intermédiaire. Univers du travestissement, où il est un *prince* !

L'ensemble du roman confirme ce qui est suggéré ou signifié dans les premières apparitions.

On peut voir, dans le détail, que de nombreuses relations organisent cette constellation de quatre femmes.

Mme Arnoux et Mme Dambreuse représentent les « femmes de 30 ans » ou celles qui, selon une superbe formule désignant Mme Arnoux, « atteign(ent) au mois d'août des femmes ».

Elles sont nommées par le nom de leur mari, précédé de Madame qui indique leur statut d'épouse. Il n'est pas indifférent de connaître les prénoms de Mme Arnoux (Marie, Angèle, qui suggèrent des connotations religieuses et célestes), mais ils sont peu utilisés. Celui de Mme Dambreuse n'est pas mentionné (sa position sociale interdit peut-être la familiarité...).

Rosanette, la courtisane, est le plus souvent désignée par son prénom, raccourci gentil et familier de Rose-Annette qui convient bien au rôle qu'elle joue. Elle est aussi surnommée la Maréchale.

Louise Roque (Élisabeth, Olympe, Louise), la jeune fille,

est désignée par son dernier prénom et le nom de son père. .
fortune de M. Roque est l'enjeu de l'intérêt qu'on porte à Louise qui, de ce fait, *existe* essentiellement à travers les convoitises que suscite sa richesse.

Il apparaît aussi que ces quatre femmes sont réparties avec soin sur l'échelle des âges : deux sont plus âgées que Frédéric (Mme Arnoux serait née en 1812 et Frédéric en 1822 ; Mme Dambreuse a au moins 20 ans de moins que son mari) ; une est beaucoup plus jeune que lui (Louise est née vers 1834) ; et la quatrième, Rosanette, occupant l'échelon intermédiaire, a à peu près l'âge de Frédéric (29 ans en 1848).

Ces femmes sont aussi très différentes psychologiquement et socialement et elles représentent bien les composantes essentielles d'une société féminine :
- Mme Arnoux est simple, sensible et très réservée ; mère de famille (deux enfants) ; bourgeoise.
- Mme Dambreuse est mondaine, distinguée et calculatrice, elle a le cœur un peu sec ; une nièce, fille adoptive (Cécile) ; grande bourgeoise.
- Rosanette est un brin vulgaire, elle est vive, gaie, émancipée, aime les plaisirs ; elle est entretenue et son train de vie dépend de la générosité des hommes auxquels elle accorde ses faveurs.
- Louise Roque est naturelle, franche, audacieuse et libérée dans sa conduite sentimentale ; elle vit chez son père, est appelée à être riche héritière.

Frédéric a avec ces quatre femmes des relations très différentes. Elles l'initient à l'amour chacune à leur manière, elles lui font éprouver toute la gamme des sensations et des sentiments amoureux :
- une grande passion, obsédante, platonique, éternelle et impossible à réaliser (Mme Arnoux) ;
- la sensualité et les plaisirs amoureux vécus dans une grande liberté, et la paternité (Rosanette) ;
- l'attachement admiratif, flatteur pour la distinction et la qualité de vic d'une dame de la haute société (Mme Dambreuse) ;
- des sentiments fraternels et complices, la fraîcheur d'une intimité juvénile et du premier amour que l'on inspire (Louise Roque).

Mme Arnoux et Rosanette s'inscrivent dans le registre du cœur, Mme Dambreuse et Louise Roque appartiennent davantage à la sphère de l'arrivisme et de la réussite sociale.

Chacune de ces femmes entretient un rapport étroit avec un cadre spatial, et pour trois d'entre elles, il s'agit de la campagne (campagne = femmes, amour / ville = hommes, ambition). Dans les trois cas, ce lieu a été le témoin d'instants privilégiés, heureux, passés par les trois femmes en compagnie de Frédéric (c'est un stéréotype romantique) :

- la maison de Saint-Cloud mais surtout celle d'Auteuil pour Mme Arnoux (idylle, fréquentes visites) ;
- la forêt de Fontainebleau avec Rosanette (long voyage amoureux) ;
- les jardins de Nogent avec Louise Roque (à chaque retour chez sa mère).

Mme Dambreuse fait exception bien que son mari possède un château aux environs de Nogent et que Frédéric y ait été invité. C'est essentiellement dans sa luxueuse maison de Paris qu'elle reçoit et fréquente Frédéric. Cette association du lieu et de la personne n'est sans doute pas neutre puisque Paris est le lieu de l'arrivisme et que pour Frédéric, Mme Dambreuse en est l'instrument privilégié par le projet de mariage.

Prolongements

♦ *Affinez la lecture méthodique de chaque portrait de femme et constituez ces portraits en groupement de textes en élaborant plusieurs questions d'ensemble, puis traitez l'une d'elles. (On peut concevoir ces questions en tenant compte d'une étude intégrale du roman ou en considérant isolément les extraits proposés.)*

III. PERSONNAGES ET SOCIÉTÉ

❏ Vie amoureuse et sociologie

La représentation des femmes dans *L'Éducation sentimentale* relève aussi d'une approche sociologique. En effet, le roman témoigne fidèlement de la vie sentimentale et amoureuse de la bourgeoisie : ce qu'il décrit ou évoque en ce domaine est confirmé par l'étude très rigoureuse d'un historien anglais, Théodore Zelding (voir p. 111).

Deux femmes, en dehors de celles étudiées dans le précédent chapitre, apparaissent comme très importantes pour Frédéric : sa mère (évoquée dès le premier chapitre du roman) et Zoraïde Turc (la Turque), tenancière d'un « lieu de perdition ») personnage essentiel du dernier chapitre du roman).

On constate alors que les initiatrices à la vie amoureuse, les femmes essentielles à l'éducation de Frédéric peuvent être regroupées autour de deux pôles antithétiques : la mère (et les femmes vertueuses) / la prostituée (et les femmes infidèles).

Aux deux extrêmes de cet axe qui traverse le champ des personnages féminins, on trouve Mme Arnoux (la mère, l'épouse, la femme idéale) et Rosanette (la courtisane, la Lorette)... Et Frédéric se donne à Rosanette au *centre* du roman !

Dans les positions intermédiaires peuvent se trouver Louise Roque et Mme Dambreuse. Louise Roque est vierge mais fille d'une « belle blonde », aux mœurs douteuses, « ramenée » de Paris par M. Roque... et comme marquée par ses origines, elle s'enfuira avec un chanteur, abandonnant Deslauriers qu'elle a épousé. Si Mme Dambreuse sacrifie aux apparences sociales, avec le consentement de son mari, elle mène une vie libre... Elle ne peut être mère, elle veille à l'éducation de sa nièce qui passe pour être la fille de M. Dambreuse.

On constate aussi que Rosanette ne peut durablement être mère. Sa maternité est incompatible avec sa position de courtisane ; son enfant (et celui de Frédéric) meurt et à la fin du roman elle a adopté un petit garçon.

Mme Arnoux, la femme aimée, idéalisée, figure la mère, et toute relation amoureuse autre que platonique se révèlera impossible, interdite ; Mme Arnoux ne sera jamais la maîtresse de Frédéric. Elle apparaît souvent à Frédéric dans ce rôle de mère, et particulièrement, semble-t-il, aux moments importants de leur histoire : lors de leur première rencontre, la fille de Mme Arnoux vient auprès de sa mère en compagnie de sa nourrice (p. 23) et la rêverie amoureuse de Frédéric est interrompue ; lorsqu'il retrouve Mme Arnoux après son long séjour en province, c'est de nouveau l'image de la mère qui s'impose,

> Elle avait sur ses genoux un petit garçon de trois ans, à peu près ; sa fille grande comme elle maintenant, se tenait debout, de l'autre côté de la cheminée. (p. 128)

et surtout c'est parce que son fils est gravement malade qu'elle ne viendra pas au rendez-vous de la rue Tronchet (p. 302 à 306)... La crainte de l'inceste est d'ailleurs explicitement évoquée lors de la dernière rencontre entre Mme Arnoux et Frédéric :

> Frédéric soupçonna Mme Arnoux d'être venue pour s'offrir ; et il était repris par une convoitise plus forte que jamais, furieuse, enragée. Cependant, il sentait quelque chose d'inexprimable, une répulsion, et comme l'effroi d'un inceste. (p. 454) (voir aussi p. 223, 224)

La quête amoureuse de Frédéric était vouée à l'échec et sa grande passion ne pouvait que demeurer inassouvie.

Or Théodore Zelding dans *Histoire des passions françaises* de 1848 à 1949 (tome 1, *Amour et Ambition)* montre à quel point l'épouse, la mère et la prostituée sont sociologiquement étroitement dépendantes et à quel point le bordel jouait un rôle considérable dans les fantasmes et la vie du jeune homme bourgeois et ensuite de l'époux (voir p. 112).

Le roman peut-il être plus représentatif, plus significatif à cet égard ?

Quand Frédéric rêve l'amour, c'est à plusieurs reprises un décor de harem qui surgit (p. 73), des références à l'Orient (bijoux de pacotille, éclats de lumière, dromadaires...) et même très précisément la femme orientale : « il la rêvait en pantalon de soie jaune, sur les coussins d'un harem » (p. 88).

Dans le dernier chapitre du roman, Frédéric et Deslauriers concluent que le « meilleur » de leur existence reste l'expérience et le souvenir de leur visite d'adolescents chez la Turque ! Dérision certes, mais aussi passage obligé de l'éducation sentimentale d'un jeune homme bourgeois. Il n'est pas sans intérêt de rappeler que ces deux images de femmes sont déjà présentes dans deux œuvres de jeunesse de Flaubert : la femme mûre qui inspire un amour fou au jeune homme et demeure inaccessible (*Les Mémoires d'un fou*, 1838) et la fille publique qui permet l'aventure amoureuse (*Novembre,* 1942).

Autre aspect de l'éducation sentimentale des jeunes gens de l'époque qui figure aussi dans le roman : les relations entre les étudiants et les grisettes (voir, à ce propos, le personnage de Clémence Daviou, la maîtresse de Deslauriers et les deux virées des deux amis). (p. 89-97)

Repères

PERSONNAGES ROMANESQUES ET SOCIOLOGIE

Tout roman a une dimension sociologique : il exprime par la fiction une société, des catégories et des relations sociales et il est déterminé par la réalité sociale qui l'a vu *naître* : de ce fait, il entretient avec elle des rapports variés. Le roman construit une société fictive et il renvoie à une/des visions-conceptions de l'époque évoquée.

On a souvent parlé du roman comme reflet de la société et cette notion est encore plus prégnante dans le cas de la littérature réaliste qui s'est donné pour objectif de *copier* le réel.

Toutefois, il faut se garder de confondre réel et fiction, de lire la fiction comme illustration directe de la réalité et certaines remarques de prudence s'imposent :

- la copie peut n'être pas conforme ;
- la vision de l'auteur est déterminée par ses origines sociales, sa formation, son idéologie... et les significations que prend une œuvre peuvent parfaitement échapper à leur auteur...
- la fiction romanesque représente la réalité sociale de différentes manières : elle peut choisir de l'ignorer, elle peut en faire une approche très sélective voire déformante ou elle peut la traduire si fidèlement qu'elle a valeur documentaire (dans ce dernier cas, le texte littéraire est source pour l'historien ou le sociologue cherchant à connaître les sociétés passées). Tous ces cas de figures, et d'autres intermédiaires, méritent d'être considérés et sont significatifs si l'on ne perd pas de vue qu'il y a toujours médiation par la fiction et qu'il faut d'abord étudier celle-ci.

Le roman — et plus particulièrement le roman du XIXe siècle — représente différentes catégories sociales ou différents groupes et cela au moyen d'un ou plusieurs personnages qui les symbolisent spécifiquement. Ainsi la représentation des principales composantes de la société permet de rendre la complexité de la réalité sociale.

De plus les personnages, à travers leurs comportements, leurs relations de groupe, manifestent des valeurs ; valeurs principales des groupes sociaux représentés, le plus souvent, dont l'auteur traduit les aspirations.

❏ Personnages et vie sociale

De nombreux groupes socio-professionnels sont représentés dans *L'Éducation sentimentale* par des personnages dont le rôle thématique est fortement appuyé. Chacun des personnages considérés exerce une profession, appartient à une classe sociale (les deux choses sont liées) ou participe de deux classes — et se trouve contraint à différentes formes de marginalité.

Pour éviter une trop grande dispersion et pour que se constitue un véritable tissu social fictif, Frédéric, le personnage principal, est mis en relation avec chacun d'entre eux.

Les groupes et personnages dominants sont liés à la bourgeoisie, petite, moyenne et grande. Quelques modifications interviendront dans le groupe des étudiants mais il n'évoluera pas de manière spectaculaire. Le peuple et les professions populaires sont peu représentés, du moins à travers un individu symbolique, ou alors c'est par un personnage de troisième plan comme *La Bordelaise* à la fabrique de faïences de Creil : le peuple est essentiellement montré de manière collective et en action.

Outre le rôle de médiateur ou d'intermédiaire du personnage principal, la fiction met en œuvre différents moyens pour assurer les relations entre les différents personnages représentatifs. Les plus significatifs dans le roman sont les modes de rassemblement. Ces rassemblements, dîners réguliers (Arnoux, Dambreuse), réceptions, fêtes ou réunions entre amis ou connaissances (chambre d'étudiant, campagne, salons) sont étonnamment fréquents. Ils rythment le déroulement du roman, contribuent à créer cette impression d'un assemblage d'une série de tableaux plutôt que d'une composition alors que paradoxalement ils assurent la texture du roman. Il apparaît aussi, à travers ces modes de fréquentation bourgeois, que le discours et l'analyse l'emportent sur l'action. Les groupes restreints s'opposent aux grandes masses déferlantes du peuple... effrayant !

Un autre élément établit un lien entre tous les personnages, et il est si récurrent qu'il manifeste une des valeurs fondamentales des groupes représentés — valeur attendue de la classe bourgeoise : l'argent. Dans le roman, il motive un grand nombre d'actions et il est source de compétition, de désaccords ou de conflits, contrecarre les rêves purs et l'idéal. Il intervient dans toutes les relations : entre les amis (Frédéric, Deslauriers et Hussonnet), les amants (Arnoux et Rosanette), entre maris et femmes (Arnoux et sa femme, Mme Dambreuse et son mari), les parents (héritage) ; dans tous les projets : mariages (Louise Roque, Cécile Dambreuse), affaires et spéculations (Dambreuse, Arnoux)... Il entretient un tissu serré de relations de dépendance. Il entraîne démarches de recouvrement, tracasseries judiciaires, procès... en bonne place dans le roman !

Ce phénomène est d'autant plus surprenant qu'on travaille peu dans le roman, que l'argent circule pourtant et que sa quête occasionne de grandes dépenses d'énergie.

Prolongements

1. **Constituez la constellation Frédéric / De Cisy / Martinon (origines sociales, vie d'étudiant et rapport au travail, éducation sentimentale).**

2. **Lecture méthodique : étudiez la première apparition de Deslauriers (p. 32-33), Dussardier (p. 47), Sénécal (p. 69-70) et Hussonnet (p. 45) : portrait, comportement... et faites ressortir les indices constitutifs du personnage récurrents dans le roman.**

3. **Étudiez le personnage d'Arnoux de façon à dégager les trais essentiels qui le composent.**

4. **Le personnage féminin de La Vatnaz (Mlle Vatnaz) : traits communs et différentiels avec Rosanette.**

5. **Éducation sentimentale et initiatrices : les grisettes et les étudiants (voir p. 113).**

PERSONNAGES ET SOCIÉTÉ

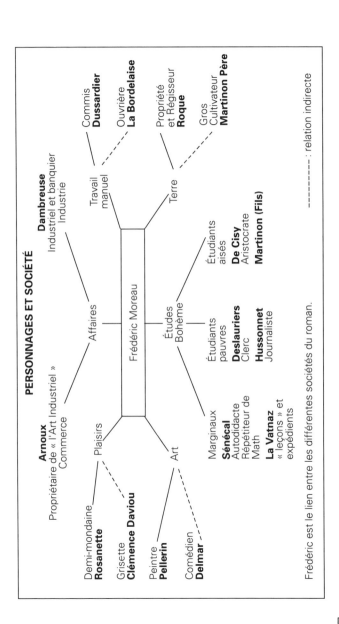

Dambreuse
Industriel et banquier
Industrie

Arnoux
Propriétaire de « l'Art Industriel »
Commerce

Frédéric Moreau

Affaires

Travail manuel

Terre

Commis **Dussardier**

Ouvrière **La Bordelaise**

Propriété et Régisseur **Roque**

Gros Cultivateur **Martinon Père**

Plaisirs

Études Bohème

Art

Demi-mondaine **Rosanette**

Grisette **Clémence Daviou**

Peintre **Pellerin**

Comédien **Delmar**

Étudiants pauvres
Deslauriers Clerc
Hussonnet Journaliste

Marginaux
Sénécal Autodidacte Répétiteur de Math
La Vatnaz « leçons » et expédients

Étudiants aisés
De Cisy Aristocrate
Martinon (Fils)

------- : relation indirecte

Frédéric est le lien entre les différentes sociétés du roman.

Troisième partie

L'HISTOIRE DANS
« L'ÉDUCATION SENTIMENTALE »

I. UN NOUVEAU ROMAN HISTORIQUE

❑ Le romancier historien

• Après Walter Scott

L'Éducation sentimentale ne se présente pas comme un roman historique à la Walter Scott, de toute évidence. Ce *modèle* romanesque est partout présent à la mémoire de Flaubert qui, en hommage discret à ses lectures de jeunesse et en clin d'œil au lecteur, prête à son héros un projet de roman historique : Frédéric, après avoir lu beaucoup de « drames moyen âge », « ambitionnait d'être un jour le Walter Scott de la France » (p. 31). Ce projet, typiquement romantique, n'est pas mené à bien mais il est assez important pour être rappelé tout à la fin du roman au cours de la conversation entre Frédéric et Deslauriers.

> [...] tu voulais faire une histoire critique de la Philosophie, et moi, un grand roman moyen âge sur Nogent, dont j'avais trouvé le sujet dans Froissart : comment messire Brokars de Fénestranges et l'évêque de Troyes assaillirent messire Eustache d'Ambrecicourt. (p. 457)

L'ironie éclate dans un tel titre, mais est-ce un hasard si le héros rêve de se réaliser à travers l'écriture d'un roman historique ?

Si *L'Éducation sentimentale* ne se présente pas comme un roman historique traditionnel, sa dimension historique ne fait pourtant aucun doute. Elle est aisément repérable et Flaubert a lui-même souligné son caractère fondamental : « Je veux faire l'histoire morale des hommes de ma génération... » (Lettre à Mlle Leroyer de Chantepie.)

Le roman, comme nous le verrons, relève bien du genre roman historique mais, dans ce domaine également, il présente une forme de modernité littéraire parce qu'il est en rupture avec les règles en vigueur à l'époque.

• Les pratiques de l'historien

Pour écrire *L'Éducation sentimentale,* Flaubert s'est livré à un travail de documentation impressionnant par son ampleur et précis jusqu'au scrupule, ainsi que l'attestent de nombreux passages de sa *Correspondance* et de ses *Carnets.* Il a fait œuvre d'historien par le nombre des sources consultées et la masse des informations recueillies tant en ce qui concerne les événements que les mentalités ou les modes de vie.

Il a utilisé aussi ses souvenirs de témoin d'un certain nombre d'événements, lors des journées du 23 et 24 février 1848. (Les souvenirs de l'année 1848 de Maxime Du Camp, son ami, qui l'accompagnait alors, confirment cette approche d'historien du présent.)

Ce soin maniaque apporté à la restitution du réel est bien caractéristique du mouvement réaliste en littérature ; mais Flaubert n'utilise pas seulement l'Histoire ou la référence historique pour créer *l'effet de réel* indispensable à l'œuvre réaliste : il utilise l'Histoire comme composante indispensable pour témoigner de l'individu au milieu du XIXᵉ siècle. La dimension collective de toute destinée s'impose à lui comme une sorte d'évidence. Le destin du héros et des autres personnages ne peut être évoqué sans être rapporté au cadre social et politique dans lequel il se situe. Ce référent incontournable doit s'intégrer à la fiction de manière à la rendre signifiante, exemplaire. Et, en retour, s'impose la nécessité de prendre en compte la dimension du vécu individuel pour éclairer l'Histoire. Cette conception de l'Histoire n'est plus compatible avec l'esthétique traditionnelle du roman historique à la Walter Scott.

• Le romancier et l'Histoire

Le parti pris de la restitution historique ne s'est pas imposé immédiatement (la première *Éducation sentimentale* n'en porte aucune trace) ; mais une fois pris il s'est avéré problématique.

À plusieurs reprises, Flaubert a évoqué ses difficultés à maintenir la fiction, prioritaire pour lui, au premier plan, et l'Histoire au second plan.

J'ai bien du mal à emboîter mes personnages dans les événements politiques de 1948. J'ai peur que les fonds ne dévorent les premiers plans ; c'est là le défaut du genre historique. Les personnages de l'Histoire sont plus intéressants que ceux de la fiction ; on s'intéresse moins à Frédéric qu'à Lamartine.

Lettre à Duplan, 14 mars 1868.

Cette difficulté à asservir l'Histoire (le réel) à la littérature (l'art) est au cœur de l'écriture du roman et cette rivalité entre l'Histoire et la fiction continuement tissées fait toute l'originalité du roman et son grand intérêt.

Repères

LE ROMAN HISTORIQUE

1. Le développement du roman historique

Dès ses origines, le roman est en relation avec l'Histoire, mais ses rapports avec elle ont évolué avec le temps.

Il se produit au XIXe siècle une véritable rencontre entre roman et Histoire. Les causes en sont variées.

Le XIXe siècle est tout entier marqué par la Révolution de 1789. Cet événement fondateur a changé la vision de l'Histoire et la conception de l'homme qui se pense désormais autrement, comme un produit de l'Histoire.

Aussi le XIXe siècle est le siècle de la naissance de l'Histoire nationale dans les années de la Restauration, avec la génération d'Augustin Thierry, Guizot et plus tard Michelet. Le goût pour ce que le passé révèle d'authentique dans le document d'époque, dans les chroniques, dans les monuments, est très fort et très répandu. De même la conviction que la nation se révèle à elle-même par la mise en valeur de son ancienneté et de sa continuité. L'Histoire permet de constituer, vivifier, enraciner la mémoire nationale. On pense que l'Histoire a un sens et que pour connaître le présent et anticiper sur l'avenir, il faut connaître le passé (déterminisme historique).

La littérature se trouve naturellement marquée par le rayonnement de l'Histoire que Chateaubriand constatait en ces termes : « Tout prend aujourd'hui la forme de l'Histoire, polémique, théâtre, roman, poésie ». Le renouveau de la fiction narrative est étroitement lié à l'importance que prend l'Histoire. Tous les romans célèbres de la première moitié du siècle le prouvent bien, qu'ils soient historiques au sens propre du terme comme *Cinq Mars* de Vigny (1826), la *Chronique du règne de Charles IX* de Mérimée (1829), *Les Chouans* de Balzac (1831), *Notre-Dame de Paris* de Hugo (1831) ou en relation avec l'histoire plus récente d'une société comme *Le Rouge et le Noir* de Stendhal (1830), *La Confession d'un enfant du siècle* de Musset (1836), *Les Illusions perdues* de Balzac (1837)...

Le roman historique, au sens strict du terme, se caractérise par le projet de *ressusciter* dans le roman une époque antérieure à l'époque de la narration. Le fondateur et le représentant de ce genre est Walter Scott, poète et romancier anglais. Il fait revivre le Moyen Age dans des romans très célèbres comme *Ivanhoé* (1819), *Quentin Durward* (1823). Les plus grands auteurs français du XIXe siècle le connaissaient bien et l'avaient beaucoup lu. Mais Walter Scott était aussi un romancier très populaire et il constituait alors une référence commune aux écrivains et aux lecteurs.

Cette entrée massive de l'Histoire dans la littérature s'explique aussi par les particularités et les objectifs des mouvements littéraires de cette époque.

Pour les romantiques, l'Histoire nourrit la nostalgie du passé en le ressuscitant : événements et figures historiques sont animés, illustrés et offrent une forme d'évasion très prisée.

Pour les réalistes, l'Histoire est *caution du réel*, elle est indispensable pour créer *l'effet de réel* dans l'œuvre de fiction. Le romancier réaliste se fixe alors la haute ambition de faire œuvre d'historien, comme le proclame Balzac — le premier — dans sa préface de *La Comédie humaine*.

> Le hasard est le plus grand romancier du monde : pour être fécond, il n'y a qu'à l'étudier. La Société française allait être l'historien, je ne devais être que le secrétaire. En dressant l'inventaire des vices et des vertus [...] en choisissant les événements principaux de la Société, en composant des types par la réunion des traits de plusieurs caractères homogènes, peut-être pouvais-je arriver à décrire l'histoire oubliée par tant d'historiens, celle des mœurs.

C'est dans ce projet du romancier de dire le réel, de le restituer fidèlement, que non seulement le passé mis à distance trouve sa place, mais aussi l'Histoire en train de se faire : Histoire événementielle et, ce qui est plus nouveau, Histoire des mentalités... Le romancier est l'historien du présent. Une sorte d'osmose se produit entre les rôles et les pratiques du romancier et de l'historien. Le romancier fait une recherche documentaire approfondie, recoupe sources et témoignages... L'historien, comme Michelet ou Augustin Thierry, écrit parfois comme un romancier. Et Chateaubriand déplore ce mélange des rôles et des genres :

> L'illustre poète de l'Écosse [allusion à W. Scott] me semble avoir créé un genre faux. Il a selon moi perverti le roman et l'histoire. Le romancier s'est mis à faire des romans historiques et l'historien des histoires romanesques. J'en parle avec un peu d'humeur, parce que moi, qui tant décrivis, aimai, chantai, vantai les vieux temples chrétiens, à force d'en entendre rebâcher, j'en meurs d'ennui.

2. Roman et histoire

Outre ce moment historique d'une rencontre, roman et Histoire présentent des éléments de parenté. Ils ont en commun :

- la restitution d'événements ;
- les personnages, moteurs des événements ;
- le mode narratif : restitution d'événements selon un déroulement chronologique ;
- le commentaire.

Mais ils se différencient nettement sur un point fondamental : le romancier peut prendre des libertés face au réel par opposition à l'historien qui doit se soumettre totalement aux faits.

Sur le plan formel, l'intégration de l'Histoire dans le roman est problématique... Se posent toute une série de questions concernant la distance temporelle minimale entre les événements narrés et le temps de la narration, les limites de la *résurrection* d'une époque dans son intégralité, la recréation du langage, les clichés...

On peut toutefois dégager quelques principes simples de fonctionnement à partir desquels de nombreuses variations sont possibles. Il s'agit d'articuler une composante fictionnelle et une composante historique. La composante historique se présente essentiellement sous trois formes :

- le discours historique : le romancier dit, rapporte l'Histoire, la commente par la voix d'un narrateur ou des personnages. (Ce mode présente le risque des digressions qui entravent la dynamique de la fiction.)

- la mise en scène de l'Histoire : le romancier montre l'événement historique. Celui-ci prend place dans le déroulement de la fiction au même titre et avec la même cohérence qu'un événement fictionnel. (Dans ce cas le risque couru est celui de l'Histoire romancée.)

 - l'allusion historique : des détails, des éléments fragmentaires de toute nature (événementiels, décoratifs, humains...), datés et datables, sont tissés avec la fiction, lui servent de substrat et fonctionnent comme autant de signaux de référence à une époque précise. (Il y a risque que l'Histoire ne soit qu'une vague coloration, qu'elle soit réduite à quelques clichés ou stéréotypes historiques plaqués sur une fiction atemporelle ou faussement d'époque.)

La composante historique peut s'articuler de différentes manières avec la fiction : juxtaposition (ou absence d'articulation), fusion, mise en perspective... Ces modes d'articulation, l'importance relative de l'Histoire et de la fiction définissent en quelque sorte des types différents dans le genre roman historique.

Il faut ajouter — et c'est une dimension essentielle du roman — que la fiction peut aussi exprimer l'Histoire ou le sens de l'Histoire sur le mode symbolique. (Nous le verrons dans *L'Éducation sentimentale*.)

Le roman historique varie enfin dans le fond et dans la forme en fonction de la conception de l'Histoire mise en œuvre. Deux grandes tendances se distinguent :
- écrire l'Histoire, c'est-à-dire lui donner une finalité, un sens : le passé permet de connaître le présent et de prédire ou construire l'avenir (déterminisme historique),
- écrire sur l'Histoire, c'est-à-dire lire et commenter le passé en fonction du présent qui lui donne sens (conception plus moderne).

❏ L'inscription de l'Histoire dans la fiction

Sont considérés comme appartenant à la sphère de l'Histoire les événements, les situations, les personnages... qui ont une existence attestée en dehors de la fiction romanesque.

• Les événements historiques et leur fonction de repères temporels

La période historique considérée dans l'Éducation sentimentale va de 1840 à 1851 et aborde trois événements historiques majeurs :
- les journées de février 1848 et la naissance de la IIe République ;
- l'insurrection de juin 1848 et la phase critique de la IIe République ;
- le coup d'État du 2 décembre 1851 et le début du Second Empire qui signifie la mort de la IIe République.

(On sait que la durée de la fiction déborde ces limites puisque elle s'achève en 1868 ou 1869 et fait référence à un événement de 1837[1].)

L'Histoire permet d'ancrer la fiction dans le réel et elle sert généralement de repère temporel pour les événements fictifs. Toutefois, dans *L'Éducation sentimentale,* ce repérage fonctionne de manière un peu inattendue.

La datation précise se rapporte à un événement fictif (et non historique comme on s'y attendrait) et sert de repère pour l'Histoire événementielle qui se trouve occultée ou renvoyée au second plan. Ainsi, le rendez-vous entre Frédéric et Mme Arnoux est prévu pour le 22 février, et c'est ce jour-là qu'a lieu la manifestation au Panthéon qui déclenchera la révolution de 1848 ; de même la vente aux enchères des biens des Arnoux a lieu le 1er décembre 1851, ce qui permet d'être à la fois allusif et clair sur l'événement qui surgit « le lendemain » : le coup d'État de Louis Napoléon Bonaparte.

Lorsqu'un événement historique fait date pour la fiction, il est seulement mentionné : la fermeture des Ateliers nationaux signifie le 21 juin 1848.

Dans l'ensemble, donc, la datation n'est pas précise et c'est par le croisement de l'histoire et de l'Histoire que l'on peut reconstituer le déroulement des événements historiques et de la vie privée de Frédéric, qui suit dans l'ensemble l'ordre chronologique.

La rareté et le brouillage des codes de la datation, la dissémination de l'Histoire dans la fiction, l'effacement des frontières entre l'une et l'autre concourent probablement à créer l'impression d'un roman complexe à la lecture, dans lequel il est facile de s'égarer faute de repères manifestes.

---

1. La mention « cet hiver » au début du dernier chapitre, puis l'allusion à M. Arnoux, « mort l'année dernière » (p. 456) suggèrent qu'un certain temps s'est écoulé depuis la rencontre avec Mme Arnoux au chapitre précédent. La fin de la fiction se rapproche ainsi du temps de la rédaction du roman, et de sa publication en 1869.

- Deux modes de représentation de l'Histoire
  événementielle

L'Histoire événementielle, dans *L'Éducation sentimentale,*
est représentée selon les deux modes majeurs caractéristiques
du roman historique :
- des événements qui prennent naturellement place dans la fiction (le mode narratif) (*) ;
- des événements rapportés au cours de discussions entre les
personnages évoquant la situation politique et sociale passée,
ou présente (le mode discursif) (+/–).

Deux lieux sont privilégiés, comme cadre de ces discussions,
et deux groupes d'individus exprimant des visions et des
points de vue opposés :
- la Gauche dans l'appartement de Frédéric (–) ;
- la Droite dans le salon Dambreuse (+).

Voici les principaux événements sous les deux formes mentionnées ci-dessus (*, +/–), dans leur ordre d'apparition dans
le roman.

Première partie

• La manifestation étudiante au Panthéon (décembre 1841)
pour obtenir la réforme du système électoral (droit de vote
élargi) (chap. IV, p. 44) (*).

• Discussions chez Frédéric : l'actualité politique et sociale
(chap. V, p. 75) (-).

Deuxième partie

• Discussions dans le nouvel appartement de Frédéric : les
socialistes et leur idéologie, la misère du peuple, les événements contemporains, les journaux, l'abandon de la Pologne
par Louis-Philippe... (chap. II, p. 157) (-).

• Discussion dans le salon Dambreuse : l'impossibilité de la
République en France et le trop grand nombre d'ouvrages
publiés sur la Révolution... les journaux... Thiers... (chap. II,
p. 180) (+).

• Dussardier chez Frédéric : allusions à l'émeute du 12 mai 1839, à différentes « Sociétés » (à propos de l'arrestation de Sénécal), au massacre de la rue Transnonain (14 avril 1834, enfance de Dussardier), à Barbès et aux prisonniers politiques enfermés au Mont Saint-Michel (chap. IV, p. 257) (-).

• Discussions dans le salon Dambreuse : l'actualité politique, les bienfaits du capitalisme (propriété et industrie), la compromission... (chap IV, p. 261) (+).

• Discussions chez Dussardier à l'occasion de la libération de Sénécal : les banquets réformistes, la situation politique (présentation par Deslauriers), les scandales récents... (chap. VI, p. 288) (-).

• La manifestation du 22 février 1848 au Panthéon (chap. VI, p. 303) (*). (Tension sociale à la suite de l'interdiction d'un banquet... p. 300).

• La journée révolutionnaire du 23 février 1848 : insurrection : « on se bat à la porte Saint-Martin » (p. 310), changement de ministère (p. 310), fusillade du boulevard des Capucines (p. 311) (*).

Troisième partie

• Insurrection à Paris : nuit du 23 au 24 février, ministères de Molé, de Thiers (chap. I, p. 313) (*).

• Attaque du poste du château d'eau du 28 février 1848, départ du roi (chap. I, p. 314) (*).

• Irruption du peuple dans le château des Tuileries et mise à sac, le 24 février 1848 (chap. I, p. 316-318) (*).

• La duchesse d'Orléans est nommée régente (chap. I, p. 319) (*).

• Ouvriers et bourgeois fraternisent (chap. I, p. 320) (*).

• Proclamation de la République et installation du gouvernement provisoire le 25 février (chap. I, p. 321) (*).

• Les clubs à Paris et la séance au « Club de l'intelligence » en mars 1848 (chap. I, p. 329-337) (*).

• Manifestations des « Clubs de désespoir » : misère des ouvriers qui se rassemblent régulièrement (p. 346) (*).

• Manifestation bonapartiste (p. 347) (*).

• Fermeture des Ateliers nationaux par le ministre des Travaux Publics et montée de la tension populaire le 21 juin (p. 348) (*).

• Insurrection : Paris entre dans la guerre civile (p. 348) ; Paris « en guerre » (p. 355) ; écrasement sanglant de l'insurrection : nuit du 25 au 26 juin, les barricades, les canons, les fantassins et la Garde nationale du côté de la répression, les morts, la proclamation de Cavaignac (émeute vaincue)... (chap. I, p. 362-365) (*).

• Le caveau des Tuileries (26 juin 1848) : neuf cents prisonniers (émeutiers) surveillés par la garde nationale bourgeoise (chap. I, p. 366) (*).

• Discussions dans le salon Dambreuse (dîner mondain et grands bourgeois parisiens) : inquiétudes et satisfaction après l'écrasement de l'insurrection, les atrocités des insurgés (rumeurs), glorification de la propriété, abolition de l'esclavage dans les colonies françaises, les victimes et les « héros » de la répression, la situation historique... de juillet 1848 (chap. II, p. 370-377) (+).

• Discussion dans le salon Dambreuse : nécessité d'un retour à l'autorité : hésitation entre Bonaparte et le général Changarnier (juillet-août 1848) (chap. III, p. 392-394) (+).

• Discussion dans le salon Dambreuse : renforcement des tendances autoritaires (février 1851) (chap. IV, p. 421) (+).

• Coup d'État de Louis Napoléon Bonaparte du 2 décembre 1851 (allusion) : état de siège décrété, représentants du peuple en prison... (chap. V, p. 449) (*).

• La troupe sur les boulevards (3 décembre) : les ouvriers ne veulent plus se battre pour les bourgeois... (chap. V, p. 449) (*).

• La charge des dragons de Louis Napoléon Bonaparte sur la foule du 4 décembre 1851 (chap. V, p. 450) (*).

Certains événements sont aussi évoqués en dehors de ce cadre général, au cours de conversations ou à la faveur d'une rencontre. Le récit est en fait émaillé d'allusions à l'Histoire, mais elles se fondent si naturellement dans la narration que seule une lecture attentive permet de les repérer.

CHRONOLOGIE HISTORIQUE

1789	- 14 juillet : début symbolique de la première Révolution française
1792	Première République
1799	- 9 novembre : coup d'État de Napoléon Bonaparte
	Consulat
1804	- 2 décembre : sacre de Napoléon Ier
	Premier Empire : Napoléon Ier
1815	- Juillet : Deuxième capitulation de Napoléon
	Louis XVIII
1824	- 16 septembre : mort de Louis XVIII
	Charles X
1830	- 27, 28, 29 juillet : Les Trois Glorieuses
	2 août : abdication de Charles X
1830	9 août : le duc d'Orléans jure fidélité à la charte
	Monarchie constitutionnelle
	Louis Philippe Ier
1848	- 24 février ⎤ IIe République
1851	- 2 décembre ⎦ Coup d'État de Louis Napoléon Bonaparte
1852	
	Second Empire : Napoléon III
1870	- 19 juillet : la France déclare la guerre à la Prusse
	- 2 septembre : Napoléon est fait prisonnier
	- 4 septembre : IIIe République qui s'achève en 1940
	- 31 octobre ⎤
	Commune de Paris écrasée par la bourgeoisie
1871	- 28 mai ⎦

Début du roman : 1840 - Fin du roman : 1868 ou 1869

❏ Histoire événementielle et structure du roman

Il est aisé de constater que les principaux événements historiques sont concentrés dans la troisième partie du roman et même essentiellement dans son premier chapitre. À ce moment du texte se produit une accélération des événements, et leur densité par rapport au nombre de pages est remarquable.

Une telle disposition se prête à l'interprétation. Cette concentration et ce gros plan sur l'Histoire accentuent le vide événementiel et la lenteur des deux premières parties, mais surtout la force et la violence de l'événement surgissant ainsi après une période calme.

La structure du roman se trouve singulièrement éclairée si l'on focalise sur l'Histoire. En effet, les événements de février sont à cheval entre la deuxième et la troisième partie ; ils en assurent la continuité en même temps que paradoxalement ils renforcent la rupture : les troubles commencés en fin de deuxième partie peuvent signifier la fin d'un monde ; se généralisant et s'aggravant en début de troisième partie, ils inaugurent une période de bouleversements.

La concentration signale aussi un déséquilibre : deux parties *calmes,* une *agitée,* plus nourrie en événements, et le déséquilibre formel dit et renforce le déséquilibre social. Le monde bascule, la bourgeoisie mise en échec dans son idéal de fraternité de classe ne se pensera plus jamais comme avant.

Cette effervescence événementielle ne se reproduira plus dans le roman, elle trouvera au contraire son opposé total dans le néant événementiel traduit par une superbe ellipse narrative : seize ans ramenés à quelques phrases... le Second Empire ! (chap. VI, p. 450)

L'alternance des discussions et des événements se prête également à l'interprétation. On constate que les discussions dominent dans les deux premières parties par opposition aux événements. Les personnages s'ennuient, parlent l'Histoire, rêvent l'avenir... agissent peu, ou se préparent à l'action. Il semble que l'impuissance à agir soit compensée par la multiplication des discours. Puis les discussions sont balayées par la brutalité des événements qui surgissent ; l'action passe au premier plan. Les discussions reprennent une fois la fièvre calmée... nombreuses, mais cette fois dans un seul camp (la Droite) et non plus entrelacées comme avant, quand tous les espoirs de démocratie et de liberté étaient permis. Leur caractère répétitif accentue alors le piétinement de l'action et suggère une situation qui s'enlise et ne progresse pas, comme c'est le cas pour la fiction sentimentale.

Elles aboutissent à un dernier événement que les interlocuteurs ont appelé de leurs vœux, l'installation d'un régime autoritaire qui est évoqué par allusion mais ne se raconte pas et de ce fait se trouve rejeté dans la non histoire ; la prise sur le réel ne s'opère plus que par la parole et se dilue dans les conversations avant de s'annuler totalement dans le vide événementiel de seize années.

La disposition d'ensemble des événements et des références historiques suggère donc déjà une approche critique de l'Histoire.

Une disposition particulière attire aussi l'attention : l'événement peut prendre sens à différents niveaux par les effets de montages, d'échos, de résonances (voir p. 89-91).

Prolongements

1. **Relisez les chapitres III et IV de la deuxième et de la troisième partie, recensez les principales informations historiques (ou politiques) qu'ils contiennent, autres que celles mentionnées ci-dessus, et distinguez le mode de présentation utilisé. (Aidez-vous des notes de l'édition qui éclaircissent de nombreuses allusions.)**

2. **Documentez-vous sur les journées de février et de juin 1848 (dans un manuel d'histoire, par exemple) et, par comparaison, faites quelques remarques sur la manière dont le romancier Flaubert traite l'histoire (ses choix, ses silences...).**

3. **Essayez de définir l'esprit de 1848 tel qu'il apparaît dans le passage couvrant la période de mars à juin 1848 (p. 322-342).**

II. FICTION ET RÉALITÉ HISTORIQUE

❏ Correspondances entre fiction et Histoire

Flaubert était très soucieux de ne pas laisser l'Histoire voler la vedette à la fiction. Mais en revanche la fiction pouvait, elle, signifier l'Histoire. C'est ainsi qu'une manière originale de dire l'Histoire a consisté à conduire en parallèle vie privée, singulière, et vie publique, collective, à travers la vie sentimentale et sociale de Frédéric, le héros représentant de la classe bourgeoise. À plusieurs reprises, les événements marquants de la fiction préfigurent ceux de l'Histoire, ils permettent une lecture symbolique de celle-ci, ils lui donnent de l'importance tout en limitant sa représentation. Par contrecoup la vie privée se trouve dramatisée et surtout atteint une valeur exemplaire, significative pour toute une génération.

Ces correspondances entre fiction et Histoire s'opèrent essentiellement autour de deux personnages importants dans la vie sentimentale de Frédéric : Mme Arnoux pour l'amour et Dussardier pour l'amitié.

• Frédéric et Mme Arnoux

Il apparaît assez clairement que la relation entre Frédéric et Mme Arnoux figure en même temps qu'elle explique les moments clés de la révolution de 1848 :

- Frédéric a rendez-vous avec Mme Arnoux le mardi 22 février 1848. C'est un grand moment de bonheur, son rêve est sur le point de se réaliser : elle va devenir sa maîtresse.

Au même moment, les étudiants manifestent pour davantage de démocratie et de liberté d'expression, pour un avenir meilleur.

- Mme Arnoux ne vient pas au rendez-vous (empêchée par la maladie de son fils). Frédéric est désespéré. Puis il se venge en faisant de Rosanette sa maîtresse, trahissant ainsi son idéal amoureux. Il profane avec une prostituée le lieu préparé pour accueillir la femme passionnément aimée et désirée.

Parallèlement la manifestation se transforme en révolution. La République est proclamée. Mais les événements fictionnels invitent à interroger les événements historiques et à anticiper sur leur évolution : ne s'agit-il pas d'un rendez-vous manqué ? La fraternité de classe qui règne alors et qui est proclamée dans l'euphorie générale n'est-elle pas une illusion ? Quelle trahison se prépare ? On peut aussi penser que Frédéric idéalise Mme Arnoux à un point tel que la réalisation de son désir est impossible, de même que la république idéale est irréalisable.

- Frédéric vit avec Rosanette, courtise Mme Dambreuse, trahit doublement Mme Arnoux, son grand amour, et s'applaudit de son cynisme : « Quelle canaille je fais. »

Les journées de juin s'accordent bien avec cette attitude : les bourgeois annexent la République, trahissent les idéaux républicains et les ouvriers alliés d'hier : c'est la répression sanglante.

- Frédéric a un enfant de Rosanette, il meurt.

De même, la République est moribonde.

- Le mobilier, les vêtements ainsi que les objets intimes de Mme Arnoux sont vendus aux enchères le 1er décembre 1851 ; Frédéric assiste à cette vente en compagnie de Mme Dambreuse, qu'il est sur le point d'épouser, et de Rosanette. Il est pris d'une grande tristesse, voire de dégoût, à la vue de ce qui apparaît comme la liquidation de son grand amour. La femme aimée quitte la scène, disparaît avec la dispersion des objets qui lui appartenaient.

Le lendemain, 2 décembre 1851, la République est mise elle aussi aux enchères : toutes les promesses et les espoirs contenus dans la République de 1848 sont définitivement liquidés avec le coup d'État de Louis Napoléon Bonaparte.

• Frédéric et Dussardier

La deuxième relation sentimentale en correspondance avec l'Histoire est illustrée par le personnage de Dussardier qui, pour Frédéric, fait figure de personnage idéal dans son engagement révolutionnaire pur et entier (voir p. 85).

- Frédéric rencontre Dussardier. Avec Hussonnet, il le tire du poste de police. Il sympathise avec lui. C'est le début d'une amitié entre le jeune étudiant bourgeois et le commis.

Parallèlement, les étudiants manifestent au quartier Latin et en appellent à plus de justice sociale.

- Frédéric, en voyage amoureux avec Rosanette dans la forêt de Fontainebleau, rentre précipitamment à Paris, abandonnant Rosanette, pour soigner Dussardier blessé au cours des émeutes des journées de juin.

La République est en danger. Il règne une grande confusion politique, on ne sait plus dans quel camp sont les défenseurs de la République. Dussardier incarne le déchirement des républicains ; il est aussi le personnage qui oblige Frédéric à se mêler à l'Histoire, à ne pas fuir la réalité politique et sociale...

- Dussardier meurt sous les yeux de Frédéric, tué par Sénécal.

Les bonapartistes prennent le pouvoir, l'ordre et l'autorité sont installés... pour longtemps ; c'est la mort définitive des idéaux de 1848 et de l'optimisme social qui y était attaché.

La vie amoureuse, sentimentale de Frédéric peut donc être lue comme une métaphore de la vie politique et sociale de toute une génération confrontée aux bouleversements de l'Histoire. Ce va-et-vient constant entre les événements de la fiction et les événements historiques prouve à quel point le roman est travaillé sur le plan formel, et manifeste que la dimension historique est consubstantielle à l'œuvre romanesque.

❑ Personnages et types

Les personnages de *L'Éducation sentimentale* constituent un microcosme qui reproduit la société de l'époque. Les principales tendances et opinions politiques sont représentées à travers des personnages ainsi haussés à la dimension de type. Ils reflètent également les mentalités de l'époque et ceci avec d'autant plus de certitude que l'on connaît l'énorme travail de documentation réalisé par Flaubert pour écrire le roman. La société est représentée dans toute sa complexité, comme en témoigne la multiplicité des personnages, mais nous ne nous attacherons qu'à ceux qui permettent de dessiner dans ses grands traits le paysage politique et social de 1848.

Il faut d'abord remarquer que le héros Frédéric n'est pas engagé dans les événements révolutionnaires qui sont mis en scène dans le roman. Il est essentiellement spectateur, témoin. Plusieurs raisons sans doute à ce choix. Flaubert a souligné à plusieurs reprises sa volonté de subordonner l'Histoire à l'histoire sentimentale du héros. Frédéric est donc naturellement plus préoccupé de ses amours que des événements révolutionnaires. Cette distance a aussi une valeur symbolique : Frédéric est le représentant d'une génération caractérisée par la passivité, qui n'attend rien des sursauts de l'Histoire, qui se replie dans la sphère privée et assiste, impuissante et complice, à la faillite de ses idéaux.

Mais c'est peut-être la dimension esthétique qui mérite d'être soulignée. Le personnage de Frédéric répond à l'exigence de réalisme si chère à Flaubert : le réel est insaisissable dans sa totalité, il est toujours rapporté en fonction de choix et d'interprétations... Frédéric est le témoin privilégié des événements historiques qui nous sont essentiellement présentés à travers son regard ou sa conscience. Mais en même temps, comme il reste extérieur, il entretient l'illusion que la vision et l'opinion de celui qui ne participe pas sont plus neutres ou plus fiables que celles d'acteurs engagés. Ainsi, de manière détournée, Flaubert impose une vision des événements et de l'Histoire. Comme le fait le romancier qui, en déléguant le récit aux personnages, s'efface devant le réel ou se dilue dans des consciences individuelles et cherche à tendre vers le récit impersonnel. D'ailleurs, on peut constater une mise en abyme intéressante : Frédéric, quand il était jeune rêvait d'écrire des romans historiques. Or, ne peut-on pas dire que sa position narrative dans *L'Éducation sentimentale* est assimilable, schématiquement, à celle du romancier qui rapporte des faits historiques à travers le filtre de la lecture qu'il en fait et selon sa conception du monde et de la société ?

Frédéric est avant tout le héros d'un roman historique de facture nouvelle, loin de celle inventée par Walter Scott ; et contrairement donc à ce qui se passe dans le roman historique traditionnel, ce n'est pas le héros, mais ce sont des personnages secondaires qui participent aux événements historiques et qui jouent un rôle dans l'Histoire en train de se faire.

Nous nous attacherons essentiellement aux figures centrales, sans omettre de préciser qu'une distribution riche et variée permet de rendre compte d'une réalité socio-politique complexe. Les personnages clés se répartissent selon deux grandes tendances :

- la Gauche ou les républicains : Deslauriers, Dussardier et Sénécal ;
- la Droite ou les conservateurs : Dambreuse et le père Roque.

Ces deux tendances encore fortement présentes aujourd'hui sont, selon les historiens, un héritage direct des événements évoqués dans le roman (la IIe République), racines de notre actualité.

• La Gauche ou les républicains

Deslauriers, le double ambitieux de Frédéric, a un parcours très éloquent. Sa volonté de réussir à tout prix le conduit à se compromettre sans honte pour saisir toutes les opportunités que lui offre l'Histoire contemporaine. Étudiant, sous la Monarchie de Juillet, il est dans l'opposition. Il participe logiquement aux journées de février, puis obtient un poste de commissaire de la République sous le gouvernement provisoire. Lorsque la République s'est rangée du côté de l'ordre et de la bourgeoisie, il devient l'homme de confiance de Dambreuse et intrigue pour lui faire gagner les élections. Ensuite, il est préfet d'Empire — renvoyé parce que trop zélé — chef de colonisation en Algérie, secrétaire d'un pacha — aventurier forcé, sans doute — gérant d'un journal — il renoue ainsi avec ses rêves d'étudiant — courtier d'annonces et « finalement employé au contentieux dans une compagnie industrielle ». Il retrouve pratiquement son premier emploi qu'il détestait ! Instabilité totale, voies sans issues, activité vaine... L'histoire ne tient pas ses promesses, l'étudiant pauvre n'aura pas le pouvoir, en dépit de toute son énergie !

Dussardier a un comportement héroïque durant les journées révolutionnaires, il est le héros du roman pris dans sa dimension historique.

Commis, il se situe entre le prolétaire et le bourgeois. C'est un idéaliste, un pur, un sentimental de la politique. Il rêve d'absolu, de fraternité et de justice et il se bat pour faire triompher la cause à laquelle il croit. Dussardier, dans son engagement révolutionnaire, peut apparaître comme une allégorie de la République :

- février 48 : Dussardier est au premier rang des émeutiers (p. 320). Il clame le triomphe de la révolution. Fraternité entre le peuple et les bourgeois : « Le peuple triomphe ! les ouvriers et les bourgeois s'embrassent ! [...] quels braves gens ! comme c'est beau ! » (p. 320), chute de la monarchie et proclamation de la République : « on sera heureux maintenant ! [...] Plus de roi, comprenez-vous ! Toute la terre libre ! toute la terre libre ! ». (p. 320)

- juin 1848 : Dussardier, fidèle à la République, la défend et tire sur un insurgé... un gamin (p. 366). Il est blessé et s'interroge sur la justesse de son choix : « Peut-être qu'il aurait dû se mettre de l'autre bord, avec les blouses ; car enfin on leur avait promis un tas de choses qu'on n'avait pas tenues. Leurs vainqueurs détestaient la République ; et puis, on s'était montré bien dur pour eux ! Ils avaient tort, sans doute, pas tout à fait, cependant ; et le brave garçon était torturé par cette idée qu'il pouvait avoir combattu la justice » (p. 366). Dussardier devient le héros d'un régime qui réprime durement le peuple affamé. La République, « récupérée » par la bourgeoisie, trahit, elle aussi, ses idéaux et s'affirme réactionnaire ;

- juin 1848/décembre 1851 : Dussardier a compris et éprouvé son erreur (p. 430). Il n'a plus aucun espoir et il a envie de mourir :

> Maintenant, ils tuent notre République [...] Quelles abominations ! D'abord, on a abattu les arbres de la liberté, puis restreint le droit de suffrage, fermé les clubs, rétabli la censure et livré l'enseignement aux prêtres, en attendant l'Inquisition. Pourquoi pas ? [...] Paris regorge de baïonnettes [...] J'en deviendrai fou, si ça continue. J'ai envie de me faire tuer. (p. 430)

La République cédant au parti de l'ordre et se reniant est moribonde.

Dussardier est tué par Sénécal au cours de la répression qui accompagne le coup d'État de Louis Napoléon Bonaparte (p. 450). La République a vécu et avec elle toutes les illusions que la révolution avait engendrées. Le règne du prince-président commence.

Dussardier représente donc un socialisme optimiste et généreux, condamné à court terme parce que utopique et incapable d'esprit critique.

Sénécal est aussi une composante importante de la Gauche révolutionnaire. Double sombre de Dussardier, il figure un socialiste dogmatique, sectaire, déterminé jusqu'à l'acte terroriste, partisan de l'embrigadement et donc opposé à toute liberté (p. 70-76, 159-161). « Tout ce qu'il jugeait lui être hostile, Sénécal s'acharnait dessus, avec des raisonnements de géomètre et une bonne foi d'inquisiteur. »

L'activité politique de Sénécal reste d'abord très mystérieuse. Il laisse entrevoir son activisme politique et sa connaissance des groupes opposés au régime en place. On apprend peu à peu que sous la Monarchie de Juillet, il participe à toutes les tentatives pour renverser le pouvoir.

Il est arrêté alors qu'il était en train d'essayer des explosifs (p. 257-264). Dussardier qui le trouve pourtant extrémiste cherche à obtenir sa libération et demande l'aide de Frédéric. Il est finalement relâché faute de preuves. (p. 287)

Après les journées de février, il devient naturellement président du *Club de l'Intelligence* ; il copie alors Blanqui « lequel imitait Robespierre » (p. 331). En juin 1848, il est prisonnier aux Tuileries comme tous les insurgés (p. 366), il sera déporté.

Puis on le retrouve en 1850, secrétaire de Deslauriers qui sert Dambreuse, intermédiaire dans des affaires louches, vivant d'expédients, toujours haineux du bourgeois et illustrant à merveille la période indécise et ambiguë qui précéda la prise du pouvoir de Louis Napoléon Bonaparte. (p. 404-405, 421)

Finalement, il rallie la force de l'ordre et le pouvoir de l'autorité. C'est un socialiste en refus de démocratie et pactisant avec le régime dictatorial du Second Empire qui blessera à mort Dussardier. (p. 450)

À la fin du roman, Deslauriers dit avoir perdu toute trace de lui. (p. 456)

Les parcours de Sénécal et de Dussardier montrent que le peuple n'est pas uni et que se dessinent des tendances contradictoires.

• La Droite ou les conservateurs

La figure de Dambreuse est essentielle pour illustrer la position de la grande bourgeoisie et de la Droite conservatrice durant cette période.

Ancien noble, orléaniste, Dambreuse s'est lancé dans les affaires, la grande industrie. Il représente le capital, ses activités visent essentiellement à faire du profit (p. 36, 213-214). Pour cela, il est prêt à toutes les compromissions.

Il pactise avec la révolution au printemps 1848, fait alliance ouvertement avec Frédéric qu'il croit engagé afin de sauver ses affaires :

> L'état nouveau des choses menaçait sa fortune, mais surtout dupait son expérience. Un système si bon, un roi si sage ! était-ce possible ! La terre allait crouler ! [...] il s'imagina que son jeune ami était un personnage très influent et qu'il pourrait sinon le servir, du moins le défendre ; de sorte qu'un matin [il] se présenta chez lui, accompagné de Martinon [...]. Somme toute, il se réjouissait des événements, et il adoptait de grand cœur « notre sublime devise : *Liberté, Égalité, Fraternité,* ayant toujours été républicain, au fond ». S'il votait, sous l'autre régime, avec le ministère, c'était simplement pour accélérer une chute inévitable [...] (p. 324-325)

Puis il est inquiet de la tournure que prennent les événements.

Il craint l'instabilité et applaudit la répression de juin 1848.

Il appelle de tous ses vœux un pouvoir fort, incarné par Louis Napoléon Bonaparte, seul capable de faire prospérer les affaires et de le protéger du peuple qu'il hait profondément. (p. 377, 394)

À sa mort, le personnage et son parcours sont résumés en quelques phrases éloquentes et lapidaires :

> Combien n'avait-il pas fait de courses dans les bureaux, aligné de chiffres, tripoté d'affaires, entendu de rapports ! Que de boniments, de sourires, de courbettes ! Car il avait acclamé Napoléon, les Cosaques, Louis XVIII, 1830, les ouvriers, tous les régimes, chérissant le Pouvoir d'un tel amour, qu'il aurait payé pour se vendre. (p. 409)

On peut associer au personnage de Dambreuse celui du père Roque, gros propriétaire terrien (p. 110, 268-269) qui est un peu son équivalent, moins raffiné, moins intelligent aussi et plus directement engagé dans la lutte pour défendre ses biens.

Il participe aux massacres de juin et montre toute son abjection, toute sa haine et sa peur du peuple en tuant sauvagement d'un coup de fusil en pleine tête un jeune homme prisonnier aux Tuileries qui demandait du pain. (p. 368)

Prolongements

1. **Les femmes ne jouent pas un grand rôle dans la dimension historique du roman, par opposition à la place qu'elles occupent dans la fiction sentimentale. Une seule se détache à cet égard, La Vatnaz, féministe.**

   Étudiez ce personnage féminin : type, classe sociale, idées politiques, valeur symbolique à partir des pages 327, 339-340, 428. On peut aussi, pour mieux faire ressortir les particularités du personnage, le comparer à celui de Rosanette.

2. *Étudiez, dans une perspective socio-historique, le personnage d'Arnoux, bourgeois et républicain modéré, son rôle de garde national et son évolution. Montrez qu'il a lui aussi une valeur exemplaire et typique.*

III. VISIONS DE L'HISTOIRE ET IDÉOLOGIE

L'inscription de l'Histoire dans la fiction nécessite des choix et des montages qui peuvent s'interpréter comme autant de prises de position face à l'Histoire.

Quels sont alors les partis pris de Flaubert ou du moins ceux qui apparaissent dans le texte de *L'Éducation sentimentale* ?

Quelle vision de l'Histoire, des forces en présence est représentée dans un roman centré sur la révolution de 1848 et qui doit décrire « l'histoire morale des hommes de (la) génération » de l'auteur ?

Certes, un message inscrit à différents niveaux de l'œuvre ressort clairement : l'échec. Mais quelles sont les causes de cet échec ? Quelle analyse est faite, consciemment ou non, des facteurs, des agents qui ont conduit la révolution à une impasse et une génération à la faillite ?

Nous avons déjà montré comment la structure narrative d'ensemble, les parcours des personnages exprimaient indirectement des jugements sur l'Histoire. Nous allons approfondir cet aspect en envisageant d'autres modes de mise en perspective critique de l'Histoire.

❑ Parallélismes et inversions symboliques

Les effets de symétrie sont importants dans le roman ; ils sont particulièrement efficaces dans la mise en scène de l'Histoire et significatifs du regard porté sur elle.

Deux épisodes renvoient dos à dos les acteurs des journées de février et de juin : la « prise » du palais des Tuileries et le châtiment qui s'exerce dans le « caveau » des Tuileries (voir p. 92).

À l'assaut du château et à l'invasion de ses étages par le peuple victorieux en février correspond, dans une inversion symbolique, la descente et l'emprisonnement du peuple vaincu dans les caves des Tuileries en juin. Mais, dans ces deux situations contrastées, c'est la violence, la brutalité voire même la bestialité qui ressortent sans distinction d'opinions ni de camp politique ; le vainqueur impose sa force.

Scène de pillage dans le palais des Tuileries :

> [...] et le peuple, moins par vengeance que pour affirmer sa possession, brisa, lacéra les glaces et les rideaux, les lustres, les flambeaux, les tables, les chaises, les tabourets, tous les meubles, jusqu'à des albums de dessins, jusqu'à des corbeilles de tapisserie. Puisqu'on était victorieux, ne fallait-il pas s'amuser ! La canaille s'affubla ironiquement de dentelles et de cachemire [...] Puis la fureur s'assombrit. Une curiosité obscène fit fouiller tous les cabinets, tous les recoins, ouvrir tous les tiroirs. Des galériens enfoncèrent leurs bras dans la couche des princesses, et se roulaient dessus par consolation de ne pouvoir les violer. [...] la populace, maîtresse des caves se livrait à une horrible godaille. [...] Le grand vestibule était rempli par un tourbillon de gens furieux ; des hommes voulaient monter aux étages supérieurs pour achever de détruire tout ; des gardes nationaux sur les marches s'efforçaient de les retenir. (p. 317-319)

Scènes d'horreur et d'assassinat dans la prison des Tuileries :

> Ils étaient là, neuf cents hommes, entassés dans l'ordure, pêle-mêle, noirs de poudre et de sang caillé, grelottant la fièvre, criant de rage ; et on ne retirait pas ceux qui venaient à mourir parmi les autres. [...] Quand les prisonniers s'approchaient d'un soupirail, les gardes nationaux qui étaient de faction — pour les empêcher d'ébranler les grilles —, fourraient des coups de baïonnette, au hasard, dans le tas. [...]
>
> Un d'eux [prisonnier], un adolescent aux longs cheveux blonds, mit sa face aux barreaux en demandant du pain. M. Roque [garde national en sentinelle] lui ordonna de se taire. Mais le jeune homme répétait d'une voix lamentable :
>
> — Du pain !
>
> — Est-ce que j'en ai, moi !
>
> D'autres prisonniers apparurent dans le soupirail, avec leurs barbes hérissées, leurs prunelles flamboyantes, tous se poussant en hurlant :
>
> — Du pain !
>
> Le père Roque fut indigné de voir son autorité méconnue. Pour leur faire peur, il les mit en joue ; et, porté jusqu'à la voûte par le flot qui l'étouffait, le jeune homme, la tête en arrière, cria encore une fois :
>
> — Du pain !

— Tiens ! en voilà ! dit le père Roque, en lâchant son coup de fusil.

Il y eut un énorme hurlement, puis, rien. Au bord du baquet, quelque chose de blanc était resté. (p. 366-368)

Certes, l'abomination l'emporte dans cette deuxième scène et l'on sent bien à travers elle que la sauvagerie de la répression intolérable est condamnée (la suite de la scène — le retour du père Roque chez lui — est grinçante). Mais cette condamnation ne donne pas pour autant raison à la partie adverse, n'excuse pas son comportement débridé. (Une intervention du narrateur précédant cette scène, que nous verrons ci-après, est très claire à ce sujet.)

L'Histoire est essentiellement caractérisée par la violence, la brutalité, la cruauté et ces scènes télescopées, exemplaires, en témoignent d'une manière terriblement efficace.

On peut encore mettre en parallèle ces tableaux avec un autre épisode afin qu'ils s'éclairent mutuellement.

Le déchaînement de l'Histoire en train de se faire est effrayant, menaçant, et en pleine insurrection de juin 1848, Frédéric visite avec Rosanette le château de Fontainebleau. Cet ancien lieu du pouvoir, transformé en musée, est paisible, sa galerie de portraits témoigne d'un pouvoir stable que ne menacent pas les assauts et les barricades du peuple ivre de liberté. Le château est un refuge hors du temps parce que, figé dans le passé, il signifie aussi pour le héros le refus de l'Histoire provocante, problématique, dangereuse.

Faut-il considérer Frédéric, le héros, comme le représentant ou le porte-parole privilégié de Flaubert, et sa fuite comme une réponse ?

❑ Qui voit ?

Les scènes historiques sont très souvent données à voir au lecteur à travers le regard de Frédéric, mais ce point de vue n'est pas exclusif et ne se confond pas avec celui du narrateur.

Le regard de Frédéric est à l'image de son personnage, sentimental et passif ; il observe, il témoigne sans participer réellement ; il porte sur la réalité historique un regard qui a le mérite d'être dépassionné, dépourvu de fanatisme et même souvent empreint de générosité. Ainsi, il est très admiratif devant le peuple en action lors des journées de février :

> Frédéric, pris entre deux masses profondes, ne bougeait pas, fasciné d'ailleurs et s'amusant extrêmement. [...] Un flot d'intrépides se rua sur le perron ; ils s'abattirent, d'autres survinrent [...] (p. 315)

Le regard de Frédéric est précieux quand il s'agit de montrer Paris, de la barrière d'Italie au quartier latin, à la fin de l'insurrection de Juin. Frédéric qui est resté extérieur aux événements et a fui la guerre civile constate simplement ce qu'il voit et la dureté de la répression s'impose d'autant plus que le point de vue tend à l'impartialité :

> L'insurrection avait laissé dans ce quartier-là [place du Panthéon] des traces formidables. [...] Sur les barricades en ruine, il restait des omnibus, des tuyaux de gaz, des roues de charrettes ; de petites flaques noires, en de certains endroits, devaient être du sang. Les maisons étaient criblées de projectiles, et leur charpente se montrait sous les écaillures du plâtre. [...] Les escaliers ayant croulé, des portes s'ouvraient sur le vide. (p. 364)

Frédéric regardant est presque toujours sous le regard d'un narrateur moqueur : « Les blessés qui tombaient, les morts étendus n'avaient pas l'air de vrais blessés, de vrais morts. Il lui semblait assister à un spectacle. » (p. 315) Sa position prête parfois à sourire. Ainsi, il est sur le point de s'engager dans la bataille parce qu'il pense qu'on s'en prend à lui personnellement. Cette impulsion toute égocentrique, en décalage par rapport à la situation est soulignée par une discrète ironie :

> Frédéric fut ébranlé par le choc d'un homme qui, une balle dans les reins, tomba sur son épaule, en râlant. A ce coup, dirigé peut-être contre lui, il se sentit furieux ; et il se jetait en avant quand un garde national l'arrêta.
> — C'est inutile ! Le Roi vient de partir. Ah ! si vous ne me croyez pas, allez-y voir ! (p. 316)

Ce double regard, souvent à l'œuvre, renforce la spécificité du point de vue de Frédéric et souligne constamment sa relativité.

Mais il est tout aussi significatif que le point de vue de Frédéric, à d'autres moments, n'intervienne pas, et il convient d'interroger la nature des scènes historiques qui ne sont pas vues à travers lui.

En effet, il apparaît alors une justification plus profonde que celle de la vraisemblance ; le plus souvent ce sont des scènes violentes où le fanatisme se montre dans toute sa démesure. (Voir, ci-dessus, la scène du « caveau des Tuileries ».)

C'est aussi le cas lorsqu'il s'agit de faire ressortir le point de vue de la bourgeoisie sur les ouvriers ; regard sans pitié, cynique comme celui de Martinon assistant au rassemblement des « clubs du désespoir » :

> La misère abandonnait à eux-mêmes un nombre considérable d'ouvriers ; et ils venaient là, tous les soirs, se passer en revue sans doute, et attendre un signal. [...]
> De petits drapeaux rouges, çà et là, semblaient des flammes ; les cochers du haut de leur siège, faisaient de grands gestes puis s'en retournaient. C'était un mouvement, un spectacle des plus drôles.
> — Comme tout cela, dit Martinon, aurait amusé Mlle Cécile ! (p. 346-347)

La multiplicité des regards permet de rendre la relativité des points de vue et atteste un choix esthétique nouveau dans le roman historique ; il y a refus de la perspective totalisante, d'une identification claire des *bons* et des *méchants*. Il y a des faits et des interprétations singulières et le sens de l'Histoire n'est pas facile à donner.

❏ Quelles voix ?

Les voix qui s'expriment dans le roman à propos des événements historiques évoqués sont nombreuses et souvent divergentes dans leurs appréciations.

Les modes de discours sont aussi très variés :

- discours des personnages qui prennent la parole au style direct, indirect ou indirect libre. Ce dernier mode d'expression permet de croiser, de mêler plusieurs discours et donc de brouiller les pistes de l'énonciation, de multiplier les jugements sans qu'il soit besoin d'identifier leur source. On voit comment ce discours est propre à exprimer la complexité de la réalité et des points de vue. Mais, en contrepartie, il permet à l'inavouable de se dire, parce qu'il est moins brutal que le style direct. De même, masquant le locuteur, il permet que ne soient pas prises en charge directement des opinions discutables et que la responsabilité en soit diluée et partagée. (Ainsi, qui, par exemple, désigne le peuple par le terme de « canaille », ou « populace » ?)

- discours du narrateur qui se différencie éventuellement de celui des personnages et même parfois nettement de celui du héros mais qui peut aussi se fondre dans les différents discours et passer inaperçu.

• La représentation du peuple

Un sujet est particulièrement significatif du foisonnement des discours et des jugements dans le roman : la représentation du peuple.

Commençons par la parole des témoins privilégiés : Frédéric et Hussonnet.

Pour Frédéric le peuple qui envahit les Tuileries est « sublime ». À sa vue, il est pris d'une très forte émotion. Mais la parole de Frédéric est systématiquement dévaluée par les commentaires dépréciatifs et ironiques de Hussonnet qui assiste avec lui à la prise des Tuileries : « Les héros ne sentent pas bon ! » dit Hussonnet que Frédéric trouve alors « agaçant » ; ou encore « Sortons de là, dit Hussonnet, ce peuple me dégoûte ».

La distance et la dérision de Hussonnet font contrepoint à la sentimentalité de Frédéric :

> Frédéric, bien qu'il ne fût pas guerrier, sentit bondir son sang gaulois. Le magnétisme des foules enthousiastes l'avait pris. Il humait voluptueusement l'air orageux [...] et cependant il frissonnait sous les effluves d'un immense amour, d'un attendrissement suprême et universel [...] Hussonnet dit, en bâillant :
> — Il serait temps, peut-être, d'aller instruire les populations !
> (p. 321)

La même scène peut donc entraîner des jugements contradictoires sur le peuple. Le point de vue lui-même de Frédéric n'est pas non plus univoque. Il évolue. Et, lorsque vers la fin du roman, il juge les événements passés, faisant écho aux propos féroces de Deslauriers, la charge est dévastatrice et le peuple n'est pas épargné.

L'avocat détestait les ouvriers, pour en avoir souffert dans sa province, un pays de houille. Chaque puits d'extraction avait nommé un gouvernement provisoire lui intimant des ordres.

— D'ailleurs, leur conduite a été charmante partout : à Lyon, à Lille, au Havre, à Paris ! Car, à l'exemple des fabricants qui voudraient exclure les produits de l'étranger, ces messieurs réclament pour qu'on bannisse les travailleurs anglais, allemands, belges et savoyards ! Quant à leur intelligence, à quoi a servi, sous la Restauration, leur fameux compagnonnage ? En 1830, ils sont entrés dans la garde nationale, sans même avoir le bon sens de la dominer ! Est-ce que, dès le lendemain de 48, les corps de métiers n'ont pas reparu avec des étendards à eux ! Ils demandaient même des représentants du peuple à eux, lesquels n'auraient parlé que pour eux ! Tout comme les députés de la betterave ne s'inquiètent que de la betterave ! — Ah ! j'en ai assez de ces cocos-là, se prosternant tour à tour devant l'échafaud de Robespierre, les bottes de l'Empereur, le parapluie de Louis-Philippe, racaille éternellement dévouée à qui lui jette du pain dans la gueule ! On crie toujours contre la vénalité de Talleyrand et de Mirabeau ; mais le commissionnaire d'en bas vendrait la patrie pour cinquante centimes, si on lui promettait de tarifier sa course à trois francs ! Ah ! quelle faute ! Nous aurions dû mettre le feu aux quatre coins de l'Europe !

Frédéric lui répondit :

— L'étincelle manquait ! Vous étiez simplement de petits bourgeois, et les meilleurs d'entre vous, des cuistres ! Quant aux ouvriers, ils peuvent se plaindre ; car, si l'on excepte un million soustrait à la liste civile, et que vous leur avez octroyé avec la plus basse flagornerie, vous n'avez rien fait pour eux que des phrases ! Le livret demeure aux mains du patron, et le salarié (même devant la justice) reste l'inférieur de son maître, puisque sa parole n'est pas crue. Enfin, la République me paraît vieille. Qui sait ? Le Progrès, peut-être, n'est réalisable que par une aristocratie ou par un homme ? L'initiative vient toujours d'en haut ! Le peuple est mineur, quoi qu'on prétende ! (p. 399-400)

D'autres personnages importants proposent diverses représentations du peuple. Leurs opinions contrastées imposent l'idée d'une réalité difficile à saisir. Sénécal, le socialiste, évoque la vengeance et la violence du peuple révolté :

> Mais qu'on y prenne garde ! le peuple à la fin, se lassera, et pourrait faire payer ses souffrances aux détenteurs du capital, soit par de sanglantes proscriptions, ou par le pillage de leurs hôtels. (p. 158)

Mais cette vision du « grand soir » est contrebalancée par le témoignage de Dussardier sur le peuple généreux et fraternel en pleine action révolutionnaire :

> Tout va bien ! le peuple triomphe ! les ouvriers et les bourgeois s'embrassent! ah si vous saviez ce que j'ai vu ! quels braves gens ! comme c'est beau ! (p. 320)

Des témoins plus épisodiques parlent aussi du peuple révolutionnaire comme le père Roque qui l'assimile à des « brigands » ou le valet de Frédéric qui s'en méfie : « je n'aime pas le peuple en cadence ».

Les visions s'entrechoquent, l'opinion est fragmentée. Le lecteur peut-il, au milieu de toutes ces voix contradictoires, se faire un jugement ? Cette polyphonie conserve et signifie l'opacité de la réalité qui ne se laisse pas lire aisément, ni ramener à une interprétation simple. Une opinion définitive sur la question est rendue impossible.

« Les patriotes ne me pardonneront pas ce livre, ni les réactionnaires non plus », dit Flaubert dans une lettre en juillet 1868.

• Le discours du narrateur

La voix du narrateur contribue à la représentation du peuple et se fait entendre de deux manières : la métaphore et l'intervention explicite.

La *métaphore* est un lieu d'expression privilégié de l'idéologie. En effet, elle traduit une vision du monde, un rapport au monde de celui qui écrit et dont il n'a pas forcément la totale maîtrise.

Le peuple est métaphoriquement désigné comme suit dans le roman :

> C'était le peuple. Il se précipita dans l'escalier, en secouant à flots vertigineux des têtes nues, des casques, des bonnets rouges, des baïonnettes et des épaules, si impétueusement que des gens disparaissaient dans cette masse grouillante qui montait toujours, comme un fleuve refoulé par une marée d'équinoxe, avec un long mugissement, sous une impulsion irrésistible. (p. 317)

> La foule innombrable [les ouvriers des clubs du désespoir] parlait très haut ; — et toutes ces voix, répercutées par les maisons, faisaient comme le bruit continuel des vagues dans un port. (p. 347)

> De la porte Saint-Denis à la porte Saint-Martin, cela ne faisait plus qu'un grouillement énorme, une seule masse d'un bleu sombre, presque noir. Les hommes que l'on entrevoyait avaient tous les prunelles ardentes, le teint pâle, des figures amaigries par la faim, exaltées par l'injustice [...] le ciel orageux chauffant l'électricité de la multitude, elle tourbillonnait sur elle-même, indécise, avec un large balancement de houle ; et l'on sentait dans ses profondeurs une force incalculable, et comme l'énergie d'un élément. (p. 348)

L'image marine, l'image de la liquidité ou l'image des éléments naturels surgissent et se développent dès que le peuple est évoqué. Ces analogies, récurrentes, imposent le sentiment ou l'idée d'une force primaire et aveugle, sauvage et terrorisante.

L'*intervention du narrateur* se donne parfois à lire explicitement mais elle se mêle souvent à d'autres voix qui lui font écho et qui s'expriment par exemple au style indirect libre. Il condamne les révolutionnaires et leurs excès en même temps qu'il juge sévèrement la répression par les classes aisées :

> Ils [les gardes nationaux] furent, généralement, impitoyables. Ceux qui ne s'étaient pas battus voulaient se signaler. C'était un débordement de peur. On se vengeait à la fois des journaux, des clubs, des attroupements, des doctrines, de tout ce qui exaspérait depuis trois mois ; et, en dépit de la victoire, l'égalité (comme pour le châtiment de ses défenseurs et la dérision de ses ennemis) se manifestait triomphalement, une égalité de bêtes brutes, un même niveau de turpitudes

sanglantes ; car le fanatisme des intérêts équilibra les délires du besoin, l'aristocratie eut les fureurs de la crapule, et le bonnet de coton ne se montra pas moins hideux que le bonnet rouge. La raison publique était troublée comme après les grands bouleversements de la nature. Des gens d'esprit en restèrent idiots pour toute leur vie. (p. 367)

Le discours du narrateur marque négativement la représentation du peuple révolutionnaire et cette vision semble finalement l'emporter. A moins qu'aucune démarche collective et politique ne trouve grâce à ses yeux, que la nature humaine ne génère fondamentalement le pessimisme et que la dépréciation dans ce cas ne soit automatique !

À de nombreuses reprises et sur d'autres sujets le discours du narrateur est porteur de jugements. Ils se signalent assez clairement par l'emploi de termes péjoratifs et le maniement de l'ironie ou la pratique de la dérision. Prenons quelques exemples :

- Sénécal, « le socialiste » :

Chaque soir, quand sa besogne était finie, il regagnait sa mansarde, et il cherchait dans les livres de quoi justifier ses rêves. Il avait annoté le *Contrat social*. Il se bourrait de la *Revue Indépendante*. Il connaissait Mably, Morelly, Fourier, Saint-Simon, Comte, Cabet, Louis Blanc, la lourde charretée des écrivains socialistes, ceux qui réclament pour l'humanité le niveau des casernes, ceux qui voudraient la divertir dans un lupanar ou la plier sur un comptoir ; et, du mélange de tout cela, il s'était fait un idéal de démocratie vertueuse, ayant le double aspect d'une métairie et d'une filature, une sorte de Lacédémone américaine où l'individu n'existerait que pour servir la Société, plus omnipotente, absolue, infaillible et divine que les Grands Lamas et les Nabuchodonosors. [...] et tout ce qu'il jugeait lui être hostile, Sénécal s'acharnait dessus, avec des raisonnements de géomètre et une bonne foi d'inquisiteur. Les titres nobiliaires, les croix, les panaches, les livrées surtout, et même les réputations trop sonores le scandalisaient, — ses études comme ses souffrances avivant chaque jour sa haine essentielle de toute distinction ou supériorité quelconque. (p. 157)

Le dogmatisme de Sénécal est critiqué de manière cinglante. Mais peut-on viser un homme et ses excès sans risquer les généralisations hâtives, les assimilations systématiques, sans porter atteinte également aux socialistes plus mesurés et aux idées qu'ils défendent ?

- Dambreuse, le capitaliste :

> Son visage était jaune comme de la paille ; un peu d'écume sanguinolente marquait les coins de sa bouche. Il avait un foulard autour du crâne, un gilet de tricot, et un crucifix d'argent sur la poitrine, entre ses bras croisés.
>
> Elle était finie, cette existence pleine d'agitations ! Combien n'avait-il pas fait de courses dans les bureaux, aligné de chiffres, tripoté d'affaires, entendu de rap-ports ! Que de boniments, de sourires, de courbettes ! Car il avait acclamé Napoléon, les Cosaques, Louis XVIII, 1830, les ouvriers, tous les régimes, chérissant le Pouvoir d'un tel amour, qu'il aurait payé pour se vendre.
>
> Mais il laissait le domaine de la Fortelle, trois manufactures en Picardie, le bois de Crancé dans l'Yonne, une ferme près d'Orléans, des valeurs mobilières considérables. (p. 409)

La férocité dans l'attaque ici non plus ne se marchande pas ! Mais le fait que ce soit Frédéric qui soit auprès du mort et qui évalue finalement les biens dont il va hériter en épousant Mme Dambreuse atténue-t-il ou renforce-t-il la charge ?

- Les événements :

> D'elle-même, sans secousses, la monarchie se fondait dans une dissolution rapide ; et on attaquait le poste du Château-d'Eau, pour délivrer cinquante prisonniers, qui n'y étaient pas. (p. 314)

> Le spectacle le plus fréquent était celui des députations de n'importe quoi, allant réclamer quelque chose à l'Hôtel de Ville, — car chaque métier, chaque industrie attendait du Gouvernement la fin radicale de sa misère. (p. 323)

Il est difficile de situer la voix du narrateur : voix du bourgeois impuissant face aux événements qui remettent en cause son emprise sociale, voix de l'humaniste généreux déçu dans ses idéaux, voix de l'artiste qui s'impose une distance critique indispensable à l'expression de la réalité ? Sans doute ne faut-il pas choisir et laisser ces voix — et d'autres — s'exprimer au gré des lecteurs et des lectures.

Prolongements

♦ *Pour Flaubert les prises de paroles politiques des personnages sont souvent des lieux d'expression d'opinions contradictoires et plus encore des lieux d'expression privilégiés de la bêtise. Une scène historique est à cet égard fortement représentative : la séance au « Club de l'Intelligence ».*

Étudiez-la en montrant la bêtise des propos tenus, mais aussi des situations, et la dérision qui s'attache à sa dénomination. (p. 330-337)

Conclusion

Défaite de la révolution, passion amoureuse inassouvie, l'échec est patent et les illusions perdues : l'éducation n'a donné que des « fruits secs ». Il reste l'apprentissage d'une forme de nihilisme politique et moral qui refuse les pièges de l'absolu et l'adoption d'une attitude détachée et ironique qui protège des blessures d'amour propre. Mais il reste surtout, pour le héros et son ami, un souvenir ému à la pensée d'une « aventure » de jeunesse et une histoire à se raconter ! Une histoire sentimentale, réjouissante, liée au temps du possible et de la naïve ignorance du monde. Une histoire qui n'est peut-être pas aussi dérisoire qu'il y paraît.

N'est-ce pas à ces moments de découverte de la sensualité et des premiers sentiments que remonte la genèse du roman ? Et si la passion née d'un coup de foudre ne peut être réalisée, si l'idéal est inaccessible, qui peut en conserver les plus belles traces si ce n'est l'œuvre d'art ? Et si l'échec individuel s'inscrit dans un échec collectif, si l'Histoire cherche un sens qu'elle ne trouve pas, n'est-ce pas seulement l'œuvre d'art qui peut dire cet échec et cette vacuité ?

Le roman donne forme artistique et donc signification à une « éducation sentimentale et morale » que le discontinu, l'immédiateté, les incertitudes du vécu et les bouleversements de l'Histoire condamnaient au néant du sens et au constat d'impuissance qui clôture le récit de la vie de Frédéric :

> Or, un dimanche, pendant qu'on était aux vêpres, Frédéric et Deslauriers, s'étant fait préalablement friser, cueillirent des fleurs dans le jardin de Mme Moreau, puis sortirent par la porte des champs, et, après un grand détour dans les vignes, revinrent par la Pêcherie et se glissèrent chez la Turque, en tenant toujours leurs gros bouquets.
>
> Frédéric présenta le sien, comme un amoureux à sa fiancée. Mais la chaleur qu'il faisait, l'appréhension de l'inconnu, une espèce de remords, et jusqu'au plaisir de voir, d'un seul coup d'œil, tant de femmes à sa disposition, l'émurent

tellement, qu'il devint très pâle et restait sans avancer, sans rien dire. Toutes riaient, joyeuses de son embarras ; croyant qu'on s'en moquait, il s'enfuit ; et, comme Frédéric avait l'argent, Deslauriers fut bien obligé de le suivre.

On les vit sortir. Cela fit une histoire qui n'était pas oubliée trois ans après.

Ils se la contèrent prolixement, chacun complétant les souvenirs de l'autre ; et, quand ils eurent fini :

— C'est là ce que nous avons eu de meilleur ! dit Frédéric.

— Oui, peut-être bien ? C'est là ce que nous avons eu de meilleur ! dit Deslauriers.

DOCUMENTS COMPLÉMENTAIRES

GROS PLAN SUR LA RÉVOLUTION DE 1848
(repères chronologiques)

Monarchie de Juillet depuis la révolution de 1830 : règne de Louis-Philippe (les deux premières parties du roman : de septembre 1840 au milieu de la nuit du 23 au 24 février 1848).

❏ Les journées révolutionnaires de février 1848 (de la fin du chapitre VI, 2e partie au début du chapitre I, 3e partie)

- 22 février : Manifestation du Panthéon au Palais Bourbon en passant par la Madeleine pour protester contre l'interdiction du banquet du 12e arrondissement.

- Nuit du 22 au 23 : des barricades sont dressées porte Saint-Martin et porte Saint-Denis.

- 23 février : le maintien de l'ordre est assuré par la Garde nationale (composée de bourgeois) fidèle au roi mais hostile à Guizot (chef du gouvernement, centre droit).

À deux heures de l'après-midi, pour éviter le pire et sauver le régime, Louis-Philippe remplace Guizot par Molé. Sursis obtenu, l'insurrection se calme.

Le soir, des manifestants se rassemblent sous les fenêtres du ministère des Affaires étrangères, situé boulevard des Capucines pour conspuer Guizot. Les soldats de garde tirent : cinquante-deux morts, soixante-quatorze blessés. L'insurrection reprend avec violence. Les cadavres entassés sur une charrette sont promenés dans le centre de la ville. Des barricades s'élèvent partout.

- 24 février : Le matin Louis-Philippe appelle Thiers (centre gauche) à former un gouvernement et charge Bugeaud de mettre fin à l'émeute.

La Garde nationale protège les insurgés et s'oppose à l'armée ; elle est devenue hostile au roi.

Les combats se poursuivent partout dans la capitale.

Louis-Philippe refuse le plan de Thiers : quitter Paris et le reconquérir par les armes.

Odilon Barrot refuse de prendre la tête du gouvernement. En fin de matinée, Louis-Philippe abdique en faveur de son petit-fils, le comte de Paris et quitte les Tuileries. Les insurgés envahissent les Tuileries vers une heure de l'après-midi.

Vers trois heures de l'après-midi, la Chambre des députés, sous la pression des insurgés, doit acclamer la formation d'un gouvernement provisoire (proposition de Lamartine et de Ledru-Rollin) constitué de députés républicains.

- 25 février : Proclamation de la République (liberté de réunion, suffrage universel pour tous les citoyens de plus de 21 ans, liberté de la presse, abolition de l'esclavage aux colonies...).

- 26 février : Au nom de la démocratie sociale, le gouvernement répond aux manifestations et revendications ouvrières en ouvrant les Ateliers nationaux qui embaucheront les chômeurs.

❑ **De février à juin : l'esprit de 1848
(chapitre I, 3ᵉ partie)**

- Fraternité de classe, union sacrée entre les ouvriers, les bourgeois, le clergé. Enthousiasme, générosité, humanisme... et naïveté...

- Vie politique intense : projet de réforme de l'enseignement public, création de nombreux journaux (essentiellement socialistes), formation et multiplication des clubs (pour débattre, lire, s'informer, voter...).

- Des difficultés :
- le maintien de l'ordre en province ;
- la crise financière.

- Les démocrates sociaux perdent les élections à l'Assemblée constituante le 23 avril. Les républicains modérés l'emportent avec les réactionnaires.

❏ **Les journées de juin 1848
(chapitre I, 3ᵉ partie)**

- 15 mai : Conflit entre l'Assemblée et les Clubs (qui sont interdits de pétition). Grande manifestation réclamant l'intervention militaire en Pologne. Les manifestants envahissent le Palais Bourbon, proclament la dissolution immédiate de l'Assemblée et vont à l'Hôtel de ville pour constituer un nouveau gouvernement provisoire. La Garde nationale les disperse, les dirigeants des Clubs sont arrêtés, les démocrates socialistes sont totalement désorganisés.

- 24 mai : Décision de fermer les Ateliers nationaux (150 000 ouvriers de moins en moins payés, auxquels on ne trouve plus de travail, foyer d'agitation révolutionnaire et bonapartiste).

- 22 juin : Publication de cette décision et fermeture des Ateliers nationaux.

- 23 juin : Insurrection pour protester contre cette mesure : les barricades se multiplient dans les quartiers de l'Est.

- 24 juin : L'État de siège est proclamé par l'Assemblée. Le général Cavaignac, ministre de la Guerre, reçoit les pleins pouvoirs pour liquider l'insurrection. Combats féroces pendant trois jours et trois nuits.

- 26 juin : L'insurrection est écrasée et avec elle le mouvement ouvrier. Commence une terrible répression : 1 500 fusillés, 25 000 prisonniers dont 11 000 déportés.

❑ De juin 1848 à décembre 1848
(chapitres I et II, 3ᵉ partie)

- 4 novembre : La Constitution de 1848 est votée (pouvoir exécutif confié à un président élu au suffrage universel pour quatre ans et non rééligible).

L'élection présidentielle est fixée au 10 décembre. Cinq candidats : Cavaignac et Lamartine qui comptent sur les voix des républicains libéraux, Ledru-Rollin pour les radicaux, Raspail pour les socialistes et Louis Napoléon Bonaparte.

- 10 décembre : Louis Napoléon Bonaparte est élu (seul nom connu des électeurs du suffrage universel). Le prince-président n'a pas véritablement de parti mais il est soutenu par les conservateurs, les grands bourgeois, les propriétaires... tous ceux qui veulent le rétablissement de l'ordre.

Il confie la présidence du Conseil à Odilon Barrot. Le parti de l'ordre est en action.

❑ De décembre 1848 à décembre 1851
(chapitres II, III, IV et V, 3ᵉ partie)

- 13 mai 1849 : Le parti de l'Ordre remporte plus de la moitié des sièges aux élections.

- 13 juin 1849 : Répression des démocrates-socialistes à l'occasion d'une manifestation nationale de soutien aux républicains italiens (contre l'expédition d'Italie pour soutenir le pape).

S'ensuivent différentes mesures qui traduisent la mise en place d'un pouvoir autoritaire préparant le Second Empire : vente des journaux réglementée, suppression de la liberté d'association, proclamation de l'état de siège. S'y ajoutent trois lois : loi Falloux sur l'enseignement, loi électorale, loi sur la presse.

- 1850 :

• campagne de propagande ;

• conflit entre le prince-président et l'Assemblée d'où la crainte d'un coup de force ;

• le général Changarnier (commandant de la Garde nationale) est destitué par Louis Napoléon.

- 4 octobre 1851 : Proposition d'une loi rétablissant le suffrage universel destinée à discréditer l'Assemblée. La loi est repoussée et le prince-président apparaît comme le partisan de la démocratie face à une Assemblée réactionnaire.

- Nuit du 1er au 2 décembre 1851 : Coup d'État : occupation militaire de la Chambre des députés, décret présidentiel dissolvant l'Assemblée et rétablissant le suffrage universel, appel au soutien du peuple par plébiscite.

Peu de résistance au coup d'État à Paris : quelques barricades et manifestations de la foule sur les boulevards que la troupe disperse. Résistance plus importante en province mais l'armée en vient à bout en une semaine.

Procès, déportations, travaux forcés, l'opposition est anéantie et un pouvoir autoritaire installé pour une vingtaine d'années.

UN ÉCLAIRAGE SOCIO-HISTORIQUE

❏ Le mariage

L'histoire des relations affectives entre les couples mariés est [...] difficile à retracer. Naturellement, la vogue de l'idéal romantique n'impliquait pas nécessairement un épanouissement de l'intimité domestique. Au contraire, l'idéalisation des femmes introduisait encore plus de distance entre elles et les hommes. Le culte de la pureté les rendait inaccessibles : on ne pouvait donc dans de telles circonstances rechercher le plaisir sexuel avec celles qui étaient dédiées à la maternité. Le romantisme a peut-être rendu les prostituées encore plus nécessaires.

[...] L'anticléricalisme divisait la famille aussi. Il était fréquent que mari et femme soient en désaccord complet au sujet de la religion. Dans l'ambiance de polémiques et de contestation du pouvoir du clergé qui était celle de l'époque, la femme, maintenue dans l'ignorance par des préjugés moyenâgeux, apparaissait comme l'instrument de la domination des curés, si bien que la tendance à la considérer comme une espèce inférieure se renforça plus qu'elle ne s'atténua au XIXe siècle. [...] Elles arrivaient au mariage encombrées de théories qui rendaient impossible l'établissement de liens d'amitié avec leurs maris. [...] C'était donc en compagnie d'une maîtresse ou au café que le mari chantait et riait.

Dans sa conception du mariage, l'Église mettait l'accent sur la gravité, le sens du devoir, l'éducation des enfants, la résignation, l'acceptation de son sort et le réconfort dans la prière et la piété.

[...] L'éducation sexuelle était essentiellement conçue comme une exhortation à la piété, à la chasteté et à la répression. [...]

Le mariage était donc conçu comme un devoir, qui venait au second rang après le total don de soi de la nonne ou du moine.

Les libéraux modérés avaient du mariage une conception traditionnelle très semblable. [...]

L'argent tenait une telle place dans le mariage, les relations sexuelles étaient soumises à de telles restrictions, les épouses étaient si désireuses de passer de l'état de fiancée au matriarcat que, fatalement, l'adultère et la prostitution étaient essentiels à la marche du système.

❑ La prostitution

Les relations extraconjugales étaient de pratique courante tout au long de cette période. Les moralistes de tous les temps invoquent un âge d'or de la pureté. Mais en 1865 déjà, un médecin écrivait : « Maintenant on ne croit pas pouvoir se débarrasser assez tôt du fardeau de la chasteté ». « Il est rare, notait un autre médecin, de trouver, dans l'état de nos mœurs actuelles, des garçons qui soient encore vierges passé dix-sept ou dix-huit ans ». A l'un de ses héros, Flaubert fait dire d'un bordel : « C'est ce que nous avons eu de meilleur. » [...]

Les visites aux prostituées commençaient dès l'école. Durant les vacances, et les jeudis après-midi, les bordels regorgeaient d'écoliers. Cette précocité était encouragée par la guerre intensive menée contre la masturbation. Ce danger était l'une des obsessions primordiales des parents et des professeurs. Les efforts déployés pour l'enrayer étaient si considérables que l'on ne peut les comparer qu'à une version moderne des chasses aux sorcières moyenâgeuses. [...] Les prostituées jouaient un rôle important dans la vie de l'adolescent.

[...]

Vers 1850, on estimait à 24 000 le nombre des prostituées de Londres, mais à Paris, avec une population moitié moindre, il y en avait, disait-on, 34 000. Jusqu'en 1946, l'État contrôlait leurs activités, partant du principe que leur existence était inévitable et qu'elles devaient exercer leur négoce de la façon la moins choquante possible. L'opinion publique étaient moins indignée par leur métier que par le fait qu'elles l'exerçaient publiquement et d'une façon qui constituait une gêne pour ceux qui ne requéraient pas leurs services. Une police des mœurs fut instituée et les prostituées furent astreintes à vivre dans des bordels (maisons de tolérance) soumis à un contrôle médical. Le nombre de ces bordels officiels était à Paris de 180 en 1810, de 200 en 1840, mais il tomba peu à peu à 145 en 1870, 125 en 1881 et 59 en 1892. Cela tenait à la multiplication des bordels clandestins qui, selon la police, comprenaient environ 15 000 prostituées en 1888. [...]

Au XIXᵉ siècle, le bordel était un endroit de détente aussi ordinaire et naturel qu'un autre. Dans l'histoire d'une ville provinciale, Maupassant en décrit un où hommes d'affaires respectables et jeunes gens se rencontraient régulièrement, comme dans un café, et où la patronne était traitée avec respect. Les rues des villes étaient infestées de prostituées racoleuses à la façon des mendiants.

❑ Les grisettes

Certains étudiants, avant qu'ils ne commencent à coucher avec des étudiantes, vivaient avec des *grisettes,* — des ouvrières qui cherchaient plus un amant qu'un client et dont l'ambition était de s'élever dans le monde. Lorsque l'une de ces grisettes, notait un observateur en 1840, avait un enfant, elle en faisait un ouvrier imprimeur, ou si c'était une fille, elle lui faisait faire du théâtre — tout plutôt que des travaux d'aiguille comme sa mère. La grisette « que l'étudiant aime un peu mieux que son chien et un peu moins que sa pipe, jette follement les plus belles années de sa vie aux bonnes fortunes, aux parties de plaisir et aux liaisons du jour ». Elle arbore un masque de gaieté qui cache une humeur généralement sombre et un grand dégoût de la vie. Elle est rapace et accepte un dîner de n'importe qui ; on peut la rencontrer facilement au bal. Mais elle console les étudiants quand ils ont le cafard et les dorlote quand ils sont malades.

Extrait de Théodore ZELDING,
Histoire des passions françaises 1848-1945
tome 1, « Ambition et Amour »,
© Le Seuil (coll. « Points » Histoire, 1979).

LES ÉCRIVAINS ET LA RÉVOLUTION DE 1848

Prolongements

Étudiez la manière dont les différents auteurs rendent compte de la révolution de 1848 :

1. *Quels sont les faits évoqués, les événements retenus ?*
   Inventoriez-les. Confrontez-les avec ce que vous savez de l'Histoire de cette période.
   Quel rôle jouent ces événements : toile de fond, circonstances déterminantes, sujet même du texte... ?
   A travers quel(s) point(s) de vue sont-ils présentés ?

2. *Quelles sont les catégories sociales représentées ?*
   Comment sont-elles désignées ? Qu'en concluez-vous ?
   Comment le narrateur ou le locuteur se situe-t-il par rapport à elles ? Comment conçoit-il leurs rapports ?

3. *Quel est le genre du texte ?*
   Quels sont son destinataire et son objectif ?
   Le genre, la destination et l'objectif du texte ont-ils des effets particuliers sur la restitution des événements ? Si oui, lesquels ?

4. *Quelles sont les valeurs véhiculées par ces textes ?*
   Repérez précisément des traces de l'idéologie à l'œuvre dans ces textes, c'est-à-dire des critères de jugement, moraux ou politiques, explicites ou implicites, exprimés à travers les termes employés (lexique, connotations, images) ou les comportements, les attitudes figurés.
   Résumez en quelques mots la façon de voir *propre à chaque texte.*

5. *Confrontez l'un ou l'autre, ou la totalité de ces textes avec la partie correspondante du roman* L'Éducation sentimentale.

❑ Texte 1

L'action du roman de Victor Hugo, *Les Misérables,* se déroule en 1832. Mais Victor Hugo y incorpore, de son propre aveu, maintes observations de juin 1848.

LA CHARYBDE DU FAUBOURG SAINT-ANTOINE
ET LA SCYLLA DU FAUBOURG DU TEMPLE

Les deux plus mémorables barricades que l'observateur des maladies sociales puisse mentionner n'appartiennent point à la période où est placée l'action de ce livre. Ces deux barricades, symboles toutes les deux, sous deux aspects différents, d'une situation redoutable, sortirent de terre lors de la fatale insurrection de juin 1848, la plus grande guerre des rues qu'ait vue l'histoire. [...]

Juin 1848 fut, hâtons-nous de le dire, un fait à part, et presque impossible à classer dans la philosophie de l'histoire. Tous les mots que nous venons de prononcer doivent être écartés quand il s'agit de cette émeute extraordinaire où l'on sentit la sainte anxiété du travail réclamant ses droits. Il fallut la combattre, et c'était le devoir, car elle attaquait la République. Mais, au fond, que fut juin 1848 ? Une révolte du peuple contre lui-même.

Là où le sujet n'est point perdu de vue, il n'y a point de digression ; qu'il nous soit donc permis d'arrêter un moment l'attention du lecteur sur les deux barricades absolument uniques dont nous venons de parler et qui ont caractérisé cette insurrection.

L'une encombrait l'entrée du faubourg Saint-Antoine ; l'autre défendait l'approche du faubourg du Temple ; ceux devant qui se sont dressés, sous l'éclatant ciel bleu de juin, ces deux effrayants chefs-d'œuvre de la guerre civile, ne les oublieront jamais.

La barricade Saint-Antoine était monstrueuse ; elle était haute de trois étages et large de sept cents pieds. Elle barrait d'un angle à l'autre la vaste embouchure du faubourg, c'est-à-dire trois rues ; ravinée, déchiquetée, dentelée, hachée, crénelée d'une immense déchirure, contrebutée de monceaux qui étaient eux-mêmes des bastions, poussant des caps cà et là, puissamment adossée aux deux grands promontoires de maisons du faubourg, elle surgissait comme une levée cyclopéenne au fond de la redoutable place qui a vu le 14 juillet. Dix-neuf barricades s'étageaient dans la profondeur des rues derrière cette barricade mère. Rien qu'à la voir, on sentait dans le faubourg l'immense souffrance agonisante arrivée à cette minute extrême où une détresse veut devenir une catastrophe. De quoi était faite cette barricade ? De l'écroulement de trois maisons à six étages, démolies exprès, disaient les uns. Du prodige de toutes les colères, disaient les autres. Elle avait l'aspect lamentable de toutes les constructions de la haine : la ruine. On pouvait dire : qui a bâti cela ? On pouvait dire aussi : qui a détruit cela ? C'était l'improvisation du bouillonnement. Tiens ! cette porte ! cette grille ! cet auvent ! ce chambranle ! ce réchaud brisé ! cette marmite fêlée ! Donnez tout ! jetez tout ! poussez, roulez, piochez, démantelez, bouleversez, écroulez tout ! C'était la collaboration du pavé, du moellon, de la poutre, de la barre de fer, du chiffon, du carreau défoncé, de la chaise dépaillée, du trognon de chou, de la loque, de la guenille, et de la malédiction. C'était grand et c'était petit. C'était l'abîme parodié sur place par le tohu-bohu. La masse près de l'atome ; le pan de mur arraché et l'écuelle cassée ; une fraternisation menaçante de tous les débris ; Sisyphe avait jeté là son rocher et Job son tesson. En somme, terrible. C'était l'acropole des va-nu-pieds. Des charrettes renversées accidentaient le talus ; un immense haquet y était étalé en travers, l'essieu vers le ciel, et semblait une balafre sur cette façade tumultueuse ; un omnibus, hissé gaiement à force de bras tout au sommet de l'entassement, comme si les architectes de cette sauvagerie eussent voulu ajouter la gaminerie à l'épouvante, offrait son timon dételé à on ne sait quels chevaux de l'air. Cet amas gigantesque, alluvion de l'émeute, figurait à l'esprit un Ossa sur Pélion de toutes les révolutions ; 93 sur 89, le 9 thermidor sur le 10 août, le 18 brumaire sur le 21 janvier, vendémiaire sur prairial, 1848 sur 1830. La place en valait la peine, et cette barricade était digne d'apparaître à l'endroit même où la Bastille avait disparu. Si l'océan faisait des digues, c'est ainsi qu'il les bâtirait.

[...] La barricade Saint-Antoine faisait arme de tout ; tout ce que la guerre civile peut jeter à la tête de la société sortait de là ; ce n'était pas du combat, c'était du paroxysme ; les carabines qui défendaient cette redoute, parmi lesquelles il y avait quelques espingoles, envoyaient des miettes de faïence, des osselets, des boutons d'habit, jusqu'à des roulettes de tables de nuit, projectiles dangereux à cause du cuivre. Cette barricade était forcenée ; elle jetait dans les nuées une clameur inexprimable ; à de certains moments, provoquant l'armée, elle se couvrait de foule et de tempête ; une cohue de têtes flamboyantes la couronnait ; un fourmillement l'emplissait ; elle avait une crête épineuse de fusils, de sabres, de bâtons, de haches, de piques et de bayonnettes ; un vaste drapeau rouge y claquait dans le vent ; on y entendait les cris du commandement, les chansons d'attaque, des roulements de tambours, des sanglots de femmes, et l'éclat de rire ténébreux des meurt-de-faim. Elle était démesurée et vivante, et, comme du dos d'une bête électrique, il en sortait un pétillement de foudres. L'esprit de révolution couvrait de son usage ce sommet où grondait cette voix du peuple qui ressemble à la voix de Dieu ; une majesté étrange se dégageait de cette titanique hottée de gravats. C'était un tas d'ordures et c'était le Sinaï.

Comme nous l'avons dit plus haut, elle attaquait au nom de la Révolution, quoi ? la Révolution. Elle, cette barricade, le hasard, le désordre, l'effarement, le malentendu, l'inconnu, elle avait en face d'elle l'assemblée constituante, la souveraineté du peuple, le suffrage universel, la nation, la République ; et c'était la Carmagnole défiant la Marseillaise.

Défi insensé, mais héroïque, car ce vieux faubourg est un héros.

Le faubourg et sa redoute se prêtaient main-forte. Le faubourg s'épaulait à la redoute, la redoute s'acculait au faubourg. La vaste barricade s'étalait comme une falaise où venait se briser la stratégie des généraux d'Afrique. Ses cavernes, ses excroissances, ses verrues, ses gibbosités, grimaçaient, pour ainsi dire, et ricanaient sous la fumée. La mitraille s'y évanouissait dans l'informe ; les obus s'y enfonçaient, s'y engloutissaient, s'y engouffraient ; les boulets n'y réussissaient qu'à trouer des trous ; à quoi bon canonner le chaos ? Et les régiments, accoutumés aux plus farouches visions de la guerre, regardaient d'un œil inquiet cette espèce de redoute bête fauve, par le hérissement sanglier, et par l'énormité montagne.

A un quart de lieu de là, de l'angle de la rue du Temple qui débouche sur le boulevard près du Château-d'Eau, si l'on avançait hardiment la tête en dehors de la pointe formée par la devanture du magasin Dallemagne, on apercevait au loin, au-delà du canal, dans la rue qui monte les rampes de Belleville, au point culminant de la montée, une muraille étrange atteignant au deuxième étage des façades, sorte de trait d'union des maisons de droite aux maisons de gauche, comme si la rue avait replié d'elle-même son plus haut mur pour se fermer brusquement. Ce mur était bâti avec des pavés. Il était droit, correct, froid, perpendiculaire, nivelé à l'équerre, tiré au cordeau, aligné au fil à plomb. Le ciment y manquait sans doute, mais comme à de certains murs romains, sans troubler sa rigide architecture. A sa hauteur on devinait sa profondeur. L'entablement était mathématiquement parallèle aux soubassements. On distinguait d'espace en espace, sur sa surface grise, des meurtrières presque invisibles qui ressemblaient à des fils noirs. Ces meurtrières étaient séparées les unes des autres par des intervalles égaux. La rue était déserte à perte de vue. Toutes les fenêtres et toutes les portes fermées. Au fond se dressait ce barrage qui faisait de la rue un cul-de-sac ; mur immobile et tranquille ; on n'y voyait personne, on n'y entendait rien ; pas un cri, pas un bruit, pas un souffle. Un sépulcre.

L'éblouissant soleil de juin inondait de lumière cette chose terrible.

C'était la barricade du faubourg du Temple.

Dès qu'on arrivait sur le terrain et qu'on l'apercevait, il était impossible, même aux plus hardis, de ne pas devenir pensif devant cette apparition mystérieuse. C'était ajusté, emboîté, imbriqué, rectiligne, symétrique, et funèbre. Il y avait là de la science et des ténèbres. On sentait que le chef de cette barricade était un géomètre ou un spectre. On regardait cela et l'on parlait bas. [...]

Massés derrière l'espèce de dos d'âne que fait à l'entrée du faubourg du Temple le pont cintré du canal, les soldats de la colonne d'attaque observaient, graves et recueillis, cette redoute lugubre, cette immobilité, cette impassibilité, d'où la mort sortait. Quelques-uns rampaient à plat ventre jusqu'au haut de la courbe du pont en ayant soin que leurs shakos ne passassent point.

Le vaillant colonel Monteynard admirait cette barricade avec un frémissement. — *Comme c'est bâti !* disait-il à un représentant. *Pas un pavé ne déborde l'autre. C'est de la porcelaine.* — En ce moment une balle lui brisa sa croix sur sa poitrine, et il tomba.

- Les lâches ! disait-on. Mais qu'ils se montrent donc ! qu'on les voie ! ils n'osent pas ! ils se cachent ! — La barricade du faubourg du Temple, défendue par quatre-vingts hommes, attaquée par dix mille, tint trois jours. Le quatrième, on fit comme à Zaatcha et à Constantine, on perça les maisons, on vint par les toits, la barricade fut prise. Pas un des quatre-vingts lâches ne songea à fuir ; tous y furent tués, excepté le chef, Barthélemy, dont nous parlerons tout à l'heure.

La barricade Saint-Antoine était le tumulte des tonnerres ; la barricade du Temple était le silence. Il y avait entre ces deux redoutes la différence du formidable au sinistre. L'une semblait une gueule ; l'autre un masque.

En admettant que la gigantesque et ténébreuse insurrection de juin fût composée d'une colère et d'une énigme, on sentait dans la première barricade le dragon et derrière la seconde le sphinx.

Victor Hugo, *Les Misérables* (1862), V^e partie, livre 1$^{er.}$

❑ Texte 2

Choses vues est le titre sous lequel a été publié le journal que tenait régulièrement Victor Hugo. Le 23 février 1848, Victor Hugo sort de la Chambre
des députés.

La séance a fini. Je suis sorti en même temps que les députés et je
m'en suis revenu sur les quais.

On continuait de charger place de la Concorde. Deux barricades
avaient été essayées rue Saint-Honoré. On dépavait le marché Saint-
Honoré. Les omnibus des barricades avaient été relevés par la troupe. Rue Saint-Honoré, la foule laissait passer les gardes municipaux,
puis les criblait de pierres dans le dos. Une multitude montait par les
quais avec le bruit d'une fourmilière irritée. J'ai vu passer une très
jolie femme en chapeau de velours vert avec un grand cachemire mar-
chant au milieu d'un groupe de blouses et de bras nus. Elle relevait
sa robe à outrance, à cause de la boue et était fort crottée. Car il pleut
de minute en minute. Les Tuileries étaient fermées. Aux guichets du
Carrousel, la foule était arrêtée et regardait par les arcades la cava-
lerie rangée en bataille devant le palais.

Vers le pont du Carrousel, j'ai rencontré M. Jules Sandeau. Il m'a
demandé ; « Que pensez-vous de ceci ? — Que l'émeute sera vaincue, mais que la révolution triomphera. »

Tout le long du quai, des patrouilles passaient, et la foule criait :
Vive la ligne ! Les boutiques étaient fermées et les fenêtres ouvertes.

Place du Châtelet, j'ai entendu un homme dire à un groupe : « C'est
1830 ! »

Non. En 1830, il y avait le duc d'Orléans derrière Charles X. En
1848, derrière Louis-Philippe il y a un trou. C'est triste de tomber de
Louis-Philippe en Ledru-Rollin.

J'ai pris par l'Hôtel de Ville et par la rue Sainte-Avoye. Tout était
tranquille à l'Hôtel de Ville, deux gardes nationaux se promenaient
devant la grille et il n'y avait point de barricades rue Sainte-Avoye.
Quelques gardes nationaux, en uniforme, le sabre au côté, allaient
et venaient rue Rambuteau. On battait le rappel dans le quartier du
Temple.

Jusqu'à ce moment, le pouvoir avait fait mine de se passer cette
fois de la garde nationale. Ce serait peut-être prudent. Ce matin, le
poste de garde nationale de service à la Chambre des députés a refusé de marcher.

On dit le roi fort calme et même gai. Il ne faut pourtant pas trop
jouer ce jeu. Toutes les parties qu'on y gagne ne servent qu'à faire le
total de la partie qu'on y perd.

Minuit sonne en ce moment. Il y a dix pièces de canon place de Grève. L'aspect du Marais est lugubre. Je m'y suis promené et je rentre. Les réverbères sont brisés et éteints sur le boulevard fort bien nommé *le boulevard noir*. Il n'y a eu ce soir de boutiques ouvertes que rue Saint-Antoine. Le théâtre Beaumarchais a fermé. La place Royale est gardée comme une place d'armes. Des troupes sont embusquées sous les arcades. Rue Saint-Louis, un bataillon est adossé silencieusement le long des murailles dans les ténèbres.

Tout à l'heure, quand l'heure a sonné, nous nous sommes levés et nous sommes allés sur le balcon, en disant : « C'est le tocsin ! » [...]

Victor HUGO, *Choses vues.*

Samedi 24 juin

La barricade était basse, elle barrait la place Baudoyer. Une autre barricade, étroite et haute, la protégeait dans la rue***. Le soleil égayait le haut des cheminées. Les coudes tortueux de la rue Saint-Antoine se prolongeaient devant nous dans une solitude sinistre.

Les soldats étaient couchés sur la barricade qui n'avait guère plus de trois pieds de haut. Leurs fusils étaient braqués entre les pavés comme entre des créneaux. De temps en temps, des balles sifflaient et venaient frapper les murs des maisons autour de nous, en faisant jaillir des éclats de plâtre et de pierre. Par moments une blouse, quelquefois une tête coiffée d'une casquette, apparaissait à l'angle d'une rue. Les soldats lâchaient leur coup. Quand le coup avait porté, ils s'applaudissaient : « Bon ! Bien joué ! Fameux ! »

Ils riaient et causaient gaiement. Par intervalles, une détonation éclatait et une grêle de balles pleuvait des toits et des fenêtres sur la barricade. Un capitaine à moustaches grises, de haute taille, se tenait debout au milieu du barrage, dépassant les pavés de la moitié du corps. Les balles grêlaient autour de lui comme autour d'une cible. Il était impassible et serein et criait : « Là, enfants ! On tire ! Couchez-vous ! Prends garde à toi, le picard, ta tête passe. Rechargez ! »

Tout à coup une femme débouche de l'angle d'une rue. Elle vient lentement vers la barricade. Les soldats éclatent en jurons mêlés d'avertissements : « Ah ! la garce ! Veux-tu t'en aller, p... ! Mais dépêche-toi donc poison ! Elle vient observer. C'est une espionne ! Descendons-la ! À bas la moucharde ! »

Le capitaine les retenait : « Ne tirez pas ! C'est une femme ! »

La femme qui semblait observer en effet, est entrée, après vingt pas, sous une porte basse qui s'est refermée sur elle [...]

25 juin

Les insurgés tiraient, sur toute la longueur du boulevard Beaumarchais, du haut des maisons neuves. Beaucoup s'étaient embusqués dans la grande maison en construction vis-à-vis la Galiote. Ils avaient mis aux fenêtres des mannequins, bottes de pailles revêtues de blouses et coiffées de casquettes.

Je voyais distinctement un homme qui s'était retranché derrière une petite barricade de briques bâtie à l'angle du balcon du quatrième de la maison qui fait face à la rue du Pont-aux-Choux. Cet homme visait longtemps et tuait beaucoup de monde.

Il était trois heures. Les soldats et les mobiles couronnaient les toits du boulevard du Temple et répondaient au feu. On venait de braquer un obusier devant la Gaîté pour démolir la maison de la Galiote et battre tout le boulevard.

Je crus devoir tenter un effort pour faire cesser, s'il était possible, l'effusion de sang ; et je m'avançai jusqu'à l'angle de la rue d'Angoulême. Comme j'allais dépasser la petite tourelle qui était tout près, une fusillade m'assaillit. La tourelle fut criblée de balles derrière moi. Elle était couverte d'affiches de théâtre déchiquetées par la mousqueterie. J'en ai détaché un chiffon de papier comme souvenir. L'affiche auquel il appartenait annonçait pour ce même dimanche une fête au Château des Fleurs avec *dix mille lampions.*

Quatorze balles ont frappé ma porte cochère, onze en dehors, trois en dedans. Un soldat de la ligne a été atteint mortellement dans ma cour. On voit encore la traînée de sang sur les pavés. [...]

L'émeute de juin présenta, dès le premier jour, des linéaments étranges. Elle montra subitement à la société épouvantée des formes monstrueuses et inconnues.

La première barricade fut dressée dès le vendredi matin 23 à la porte Saint-Denis ; elle fut attaquée le même jour. La garde nationale s'y porta résolument. C'étaient des bataillons de la première et de la deuxième légion. Quand les assaillants, qui arrivaient par le boulevard, furent à portée, une décharge formidable partit de la barricade et joncha le pavé de gardes nationaux. La garde nationale, plus irritée qu'intimidée, se rua sur la barricade au pas de course.

En ce moment, une femme parut sur la crête de la barricade, une femme jeune, belle, échevelée, terrible. Cette femme, qui était une fille publique, releva sa robe jusqu'à la ceinture et cria aux gardes nationaux, dans cette affreuse langue du lupanar qu'on est toujours forcé de traduire. « Lâchez, tirez, si vous l'osez, sur le ventre d'une femme ! »

Ici la chose devient effroyable. La garde nationale n'hésita pas. Un feu de peloton renversa la misérable. Elle tomba en poussant un grand cri. Il y eut un silence d'horreur dans la barricade et parmi les assaillants.

Tout à coup une seconde femme apparut. Celle-ci était plus jeune et plus belle encore ; c'était presque une enfant, dix-sept ans à peine. Quelle profonde misère ! C'était encore une fille publique. Elle leva sa robe, montra son ventre, et cria : « Tirez, brigands ! » On tira. Elle tomba trouée de balles sur le corps de la première.

Ce fut ainsi que cette guerre commença.

Rien n'est plus glaçant et plus sombre. C'est une chose hideuse que cet héroïsme de l'abjection où éclate tout ce que la faiblesse contient de force ; que cette civilisation attaquée par le cynisme et se défendant par la barbarie. D'un côté le désespoir du peuple, de l'autre le désespoir de la société.

Sauver la civilisation, comme Paris l'a fait en juin, on pourrait presque dire que c'est sauver la vie du genre humain.

Juin 1848

O malheureux pays ! Comment tout ne s'écroulerait-il pas ? D'un côté les coups de canon, de l'autre, les coups d'idées.

O philosophes, penseurs, poètes, écrivains, amis du peuple et de l'humanité, artilleurs de l'intelligence, à vos pièces !

Mais prenez garde pourtant !

Depuis quatre mois, nous vivons dans une fournaise. Ce qui me console, c'est que la statue de l'avenir en sortira, et il ne faut pas moins qu'un tel brasier pour fondre un tel bronze.

Victor Hugo, *Choses vues.*

Renan, intellectuel, partisan d'un socialisme utopiste et pacifiste, adresse cette lettre à sa sœur Henriette.

1ᵉʳ juillet 1848

L'orage est passé, ma chère amie ; mais qu'il laissera longtemps après lui de funestes traces ! Paris n'est plus reconnaissable ; les autres victoires n'avaient que des chants et des folies ; celle-ci n'a que deuils et fureurs. Les atrocités commises par les vainqueurs font frémir, et nous reportent en un jour à l'époque des guerres de religion. Une vraie Terreur a succédé à cette déplorable guerre, le régime militaire a pu déployer à son aise tout l'arbitraire et toute l'illégalité qui le caractérisent ; quelle chose de dur, de féroce, d'inhumain s'introduit dans les mœurs et dans le langage. Les personnes d'ordre, ceux qu'on appelle les honnêtes gens, ne demandent que mitraille et fusillade ; l'échafaud est abattu, on y substitue le massacre ; la classe bourgeoise a prouvé qu'elle était capable de tous les excès de notre première Terreur, avec un degré de réflexion et d'égoïsme de plus. Et ils croient qu'ils sont vainqueurs pour jamais ; que sera-ce le jour des représailles ?... Et pourtant, telle est la terrible position où nous a mis la force des choses, qu'il faut se réjouir de cette victoire, car le triomphe de l'insurrection eût été plus redoutable encore. Non pas qu'il faille croire tous ces contes à faire peur, inventés par la haine et par de ridicules journaux. J'ai vu de près les insurgés ; nous avons été un jour et une nuit entre leurs mains, et je puis dire qu'on ne peut désirer plus d'égard, d'honnêteté, de droiture, et qu'ils surpassaient infiniment en modération ceux qui les combattaient, et qui, sous mes yeux, ont commis des atrocités inouïes sur les personnes les plus inoffensives. Mais la difficulté, l'invicible difficulté eût été du côté de la France, qui, certes, n'eût point consenti à la révolution de Paris et en supposant même que, dans quelques grandes villes, comme Lyon, Rouen, etc. l'insurrection populaire eût eu des appuis, une épouvantable guerre civile eût été nécessaire pour faire triompher violemment et prématurément une cause[1] qui doit tout attendre du temps. [...]

Ernest RENAN, *Nouvelles Lettres intimes* (1846-1850).

---

1. La cause du socialisme.

À CHARLES PONCY

8 mars, Nohant [1848]

Vive la république ! Quel rêve, quel enthousiasme et en même temps quelle tenue, quel ordre à Paris ! J'en arrive, j'y ai couru, j'ai vu s'ouvrir les dernières barricades sous mes pieds. J'ai vu le peuple grand, sublime, naïf, généreux, le peuple français réuni au cœur de la France, au cœur du monde, le plus admirable peuple de l'univers. J'ai passé bien des nuits sans dormir, bien des jours sans m'asseoir. On est fou, on est ivre, on est heureux de s'être endormi dans la fange et de se réveiller dans les cieux. Que tout ce qui vous entoure ait courage et confiance. La république est conquise, elle est assurée, nous y périrons tous plutôt que de la lâcher. Le gouvernement provisoire est composé d'hommes excellents pour la plupart, tous un peu incomplets et insuffisants à une tâche qui demanderait le génie de Napoléon et le cœur de Jésus. Mais la réunion de tous ces hommes qui ont de l'âme, ou du talent, ou de la volonté, suffit à la situation. Ils veulent le bien, ils le cherchent, ils l'essayent. Ils sont dominés sincèrement par un principe supérieur à la capacité individuelle de chacun, la volonté de tous, le droit du peuple. Le peuple de Paris est si bon, si indulgent, si confiant dans sa cause et si fort, qu'il aide lui-même son gouvernement. La durée d'une telle disposition serait l'idéal social. Il faut l'encourager. D'un bout de la France à l'autre, il faut que chacun aide la république et la sauve de ses ennemis. Le désir, le principe et le vœu fervent des membres du gouv[ernemen]t prov[isoir]e est qu'on envoie à l'Assemblée nationale des hommes qui représentent le peuple et dont plusieurs, le plus possible, sortent de son sein.

Ainsi, mon ami, vos amis doivent y songer et tourner les yeux sur vous pour la députation. Je suis bien fâchée de ne pas connaître les gens influents de notre opinion dans votre ville. Je les supplierais de vous choisir et je vous commanderais au nom de mon amitié maternelle d'accepter sans hésiter. Voyez, *faites agir,* il ne suffit pas de *laisser agir.* Il n'est plus question de vanité ni d'ambition comme on l'entendait naguère. Il faut que chacun fasse la manœuvre du navire et donne tout son temps, tout son cœur, toute son intelligence, toute sa vertu à la république. Les poètes peuvent être comme Lamartine de grands citoyens, les ouvriers ont à nous dire leurs besoins, leurs inspirations.

Écrivez-moi vite qu'on y pense et que vous le voulez. Si j'avais là des amis je le leur ferais bien comprendre.

Je repars pour Paris dans quelques jours probablement pour faire soit un journal, soit autre chose. Je choisirai le meilleur instrument possible pour accompagner ma chanson. J'ai le cœur plein et la tête en feu. Tous mes maux physiques, toutes mes douleurs personnelles sont oubliées. Je vis, je suis force, je suis active, je n'ai plus que 20 ans. Je suis revenue ici aider mes amis dans la mesure de mes forces à révolutionner le Berry qui est bien engourdi. Maurice s'occupe de révolutionner la commune. Chacun fait ce qu'il peut. Ma fille, pendant ce temps-là, est accouchée heureusement d'une fille. Borie sera probablement député par la Corrèze. En attendant il m'aidera à organiser mon journal.

Allons, j'espère que nous nous retrouverons tous à Paris, pleins de vie et d'action, prêts à mourir sur les barricades si la république succombe. Mais non ! la république vivra, son temps est venu. C'est à vous, homme du peuple, à la défendre jusqu'au dernier soupir.

J'embrasse Désirée, j'embrasse Solange, je vous bénis et je vous aime.

George.

Écrivez-moi ici. On me renverra votre lettre à Paris si j'y suis.

Montrez ma lettre à vos amis. Cette fois je vous y autorise et je vous le demande.

George SAND, Correspondance.

☐ Texte 6

Le printemps 1848, dans une petite ville de province...

La Réaction commençait.

On croyait aux purées d'ananas de Louis Blanc, au lit d'or de Flocon, aux orgies royales de Ledru-Rollin — et comme la province prétend connaître tout ce qui se passe à Paris, les bourgeois de Chavignolles ne doutaient pas de ces inventions, et admettaient les rumeurs les plus absurdes.

M. de Faverges, un soir, vint trouver le curé pour lui apprendre l'arrivée en Normandie du Comte de Chambord.

Joinville, d'après Foureau, se disposait avec ses marins, à vous réduire les socialistes. Heurtaux affirmait que prochainement Louis Bonaparte serait consul.

Les fabriques chômaient. Des pauvres, par bandes nombreuses, erraient dans la campagne.

Un dimanche (c'était dans les premiers jours de juin) un gendarme, tout à coup, partit vers Falaise. Les ouvriers d'Acqueville, Liffard, Pierre-Pont et Saint-Rémy marchaient sur Chavignolles.

Les auvents se fermèrent, le Conseil municipal s'assembla ; — et résolut, pour prévenir des malheurs, qu'on ne ferait aucune résistance. La gendarmerie fut même consignée, avec l'injonction de ne pas se montrer.

Bientôt on entendit comme un grondement d'orage. Puis le chant des Girondins ébranla les carreaux ; — et des hommes, bras dessus bras dessous, débouchèrent par la route de Caen, poudreux, en sueur, dépenaillés. Ils emplissaient la Place. Un grand brouhaha s'élevait.

Gorgu et deux compagnons entrèrent dans la salle. L'un était maigre et à figure chafouine avec un gilet de tricot, dont les rosettes pendaient. L'autre noir de charbon — un mécanicien sans doute — avait les cheveux en brosse, de gros sourcils, et des savates de lisière. Gorgu, comme un hussard, portait sa veste sur l'épaule.

Tous les trois restaient debout — et les Conseillers, siégeant autour de la table couverte d'un tapis bleu, les regardaient, blêmes d'angoisse.

- « Citoyens ! » dit Gorgu « il nous faut de l'ouvrage ! »

Le maire tremblait ; la voix lui manqua.

Marescot répondit à sa place, que le Conseil aviserait immédiatement ; — et les compagnons étant sortis, on discuta plusieurs idées.

Le premier fut de tirer du caillou.

Pour utiliser les cailloux, Girbal proposa un chemin d'Angleville à Tournebu.

Celui de Bayeux rendait absolument le même service.

On pouvait curer la mare ? ce n'était pas un travail suffisant ! ou bien creuser une seconde mare ! mais à quelle place ?

Langlois était d'avis de faire un remblai le long des Mortins, en cas d'inondation — mieux valait, selon Beljambe, défricher les bruyères. Impossible de rien conclure ! — Pour calmer la foule, Coulon descendit sur le péristyle, et annonça qu'ils préparaient des ateliers de charité.

- « La charité ? Merci ! » s'écria Gorgu. « A bas les aristos ! Nous voulons le droit au travail ! »

C'était la question de l'époque. Il s'en faisait un moyen de gloire. On applaudit.

[...]

Une huée de la foule parvint dans la salle ; tous se levèrent, ayant envie de s'enfuir. Le secours de Falaise n'arrivait pas ! On déplorait l'absence de M. le Comte. Maresot tortillait une plume. Le père Coulon gémissait. Heurtaux s'emporta pour qu'on fit donner les gendarmes.

- « Commandez-les ! » dit Foureau.

- « Je n'ai pas d'ordre. »

Le bruit redoublait, cependant. La Place était couverte de monde ; — et tous observaient le premier étage de la mairie, quand à la croisée du milieu, sous l'horloge, on vit paraître Pécuchet.

Il avait pris adroitement l'escalier de service ; — et voulant faire comme Lamartine, il se mit à haranguer le peuple :

- « Citoyens ! »

Mais sa casquette, son nez, sa redingote, tout son individu manquait de prestige.

L'homme au tricot l'interpella :

- « Est-ce que vous êtes ouvrier ? »

- « Non. »

- « Patron, alors ? »

- « Pas davantage ! »

- « Eh bien, retirez-vous ! »

- « Pourquoi ? » reprit fièrement Pécuchet.

Et aussitôt, il disparut dans l'embrasure, empoigné par le mécanicien. Gorgu vint à son aide.

- « Laisse-le ! c'est un brave ! ». Ils se colletaient.

La porte s'ouvrit, et Marescot sur le seuil, proclama la décision municipale. Hurel l'avait suggérée.

Le chemin de Tournebu aurait un embranchement sur Angleville, et qui mènerait au château de Faverges.

C'était un sacrifice que s'imposait la commune dans l'intérêt des travailleurs. Ils se dispersèrent.

Gustave FLAUBERT, *Bouvard et Pécuchet* (1881).

DANS LA MÊME COLLECTION

Mateo Falcone de Prosper Mérimée

Paul et Virginie de Bernardin de Saint-Pierre

Malicroix de Henri Bosco

Le Grand Meaulnes d'Alain-Fournier

L'Étranger d'Albert Camus

George Dandin de Molière

Poèmes de Léopold Sédar Senghor

La Peau de chagrin d'Honoré de Balzac

Les Débuts de romans

Boule de suif de Guy de Maupassant

L'Ami retrouvé de Fred Uhlman

Fêtes galantes de Paul Verlaine

L'Éducation sentimentale de Gustave Flaubert

Capitale de la douleur de Paul Éluard

L'Ile des esclaves de Marivaux

Bérénice de Racine

Moderato cantabile de Marguerite Duras

Loin de Rueil de Raymond Queneau

Candide de Voltaire

Les Fleurs du mal de Charles Baudelaire

Un balcon en forêt de Julien Gracq

et de nombreux autres titres à paraître.

Imprimé par JOUVE, 18, rue Saint-Denis, 75001 PARIS
N° 14287. — Avril 1991